L'AMOUR FRATERNEL

S. P.

Bernardo Olivera o.c.s.o.

L'AMOUR FRATERNEL

Aspects de l'amour du prochain
dans l'enseignement spirituel de saint Bernard

Traduit de l'espagnol

par

Yvon Moreau o.c.s.o.

COLLECTION VOIX MONASTIQUES 8

1993

Le texte original est paru sous le titre :

Bernardo Olivera, ocso. "Aspectos del amor al prójimo en la doctrina espiritual de San Bernardo." in: *Analecta Cisterciensia* XLVI (1990/1-2) 151-197, Roma : Editiones Cistercienses, 1990, 418p.

Dépôt légal : 3ᵉ trimestre 1993
Bibliothèque nationale du Québec

Avec la permission des supérieurs

©Abbaye cistercienne Notre-Dame-du-Lac 1993
1600 Chemin d'Oka, Oka, Québec, Canada
J0N 1E0

ISBN : 2-9801508-9-4

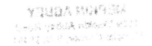

PRÉSENTATION

Un jour qu'il visitait notre communauté, les novices ont demandé à Dom Bernardo de leur laisser une parole de vie. Et Dom Bernardo a choisi de leur laisser cette parole qu'on trouve à la fin du chapitre 72 de la Règle de saint Benoît : *Daigne le Christ nous conduire ensemble à la vie éternelle.* En guise de commentaire de ce passage, Dom Bernardo a ensuite raconté une petite histoire où saint Benoît se présente au ciel et saint Pierre refuse de l'admettre, non parce qu'il ne mérite pas d'entrer au ciel, bien au contraire, mais parce qu'il a lui-même fixé une condition à son entrée au paradis, comme à l'entrée de tous les moines et moniales qui militent sous sa Règle : c'est le fameux *ensemble* de la fin du chapitre 72 de sa Règle. Et c'est ainsi que, d'après cette histoire, saint Benoît attend encore dans l'anti-chambre du ciel que tous ses disciples l'aient rejoint...

Cette historiette est une autre façon d'exposer le thème de l'amour fraternel ou de l'amour du prochain. Déjà, elle annonce une image de Dieu qui doit être rappelée à chaque génération. Notre Dieu est un Dieu Créateur. Souvent dans la tradition chrétienne et surtout monastique, des expressions comme *Vivre à Dieu seul, Dieu premier servi, Ne rien préférer à l'amour du Christ*, ont pu, injustement comprises, donner à penser qu'on avait oublié le Dieu Créateur. En faisant la Création, en donnant l'existence à des réalités terrestres finies, Dieu n'a pu souhaiter être à ce point exclusif et envahissant que toute sa création ne soit qu'une illusion passagère dont il faille sans cesse se méfier et se détourner. Le désir de Dieu est de nous voir parvenir *ensemble* jusqu'à Lui. C'est la seule voie où notre vie peut se déployer tout entière et passer en Dieu. C'est aussi la voie du mystère de la Pâque de Jésus et de la nôtre.

Mais vivre *ensemble*, c'est aussi poser toute la question de l'amour de l'autre : comment aimer l'autre en vérité ? Dans son sermon 50 sur le Cantique des Cantiques, saint Bernard fait une distinction éclairante entre la charité d'action (demandée par l'Évangile) et la charité d'affection (qui est davantage une grâce reçue). Nous sommes tous invités à pratiquer la charité d'action : aimer l'autre par des gestes concrets et dans une attitude qui révèle que nous sommes tous fils et filles du même Père.

L'amour véritable ne cherche pas son intérêt. Saint Bernard le répète très souvent dans son enseignement spirituel comme nous pouvons le découvrir dans le texte de Dom Bernardo. Pourtant, saint Bernard n'a pas voulu pour autant que nous disparaissions derrière notre amour des autres. « Si tu entends te dévouer à tous, à l'exemple de Celui qui s'est fait tout entier à tous, j'approuverai l'humanité de ton dévouement, mais seulement s'il est total.» Notre image de Dieu influence nécessairement notre image des autres et notre image de nous-même. Saint Bernard (*Csi* I,6) ajoute donc : « Comment ce dévouement pourrait-il être total, toi excepté ? Tu es un homme, toi aussi. Si tu veux donc que ton humanité soit parfaite et totale, il faut que le sein qui accueille tous les autres te compte toi-même.» L'exemple et le modèle de cette humanité réussie est celui de Jésus dont on peut rapprocher tout de suite celui de Marie, sa Mère.

L'image de Dieu que nous retrouvons dans le texte qui suit est celle-là même que Dom Bernardo, dans son Introduction, reconnaît à saint Bernard : une image de Dieu vécue dans l'ascèse, goûtée dans la mystique et célébrée dans la liturgie du cloître. Toute la théologie monastique est contenue dans cette brève mais fort dense définition. Cette image de Dieu a inspiré l'image du prochain qui fait l'objet de la présente étude.

Dom Bernardo Olivera est né en Argentine, en 1943. Après des études pour devenir vétérinaire, il est entré au monastère cistercien-trappiste d'Azul en 1962; il y fut maître des novices et premier Père Abbé de cette communauté; en 1990, il fut élu Abbé Général de l'Ordre Cistercien de la Stricte Observance.

Frère André Barbeau ocso

24 juin 1993
Solennité de saint Jean-Baptiste

SIGLES ET ABRÉVIATIONS

Oeuvres de saint Bernard

Abb	Sermon aux abbés
AdvA	Sermons pour l'Avent (Sermons pour l'année)
AdvV	Sermon pour l'Avent (Sermons variés)
Ann	Sermon pour l'Annonciation
Apo	Apologie à l'abbé Guillaume
Asc	Sermons pour l'Ascension
AssO	Sermon pour le dimanche après l'Assomption
Assp	Sermons pour l'Assomption
Conv	Aux clercs sur la conversion
Csi	La Considération
Ded	Sermons pour la Dédicace de l'église
Dil	L'Amour de Dieu
Div	Sermons sur divers sujets
Ep	Lettres
EpiP	Sermons pour le 1er dimanche après l'octave de l'Épiphanie (Sermons pour l'année)
EpiV	Sermon pour l'Épiphanie (Sermons variés)
Gra	La Grâce et le libre arbitre
Hum	Les Degrés de l'humilité et de l'orgueil
Humb	Sermon pour la mort d'Humbert
MalH	Hymne de saint Malachie
MalV	Vie de saint Malachie
Mich	Sermons pour la commémoration de saint Michel
Miss	À la louange de la Vierge Mère (H. sur *Missus est*)
Nat	Sermons pour Noël
NatV	Sermons pour la vigile de Noël
NBVM	Sermon pour la Nativité de la Bienheureuse Vierge Marie
OS	Sermons pour la Toussaint
Par	Paraboles

Pasc	Sermons pour la Résurrection du Seigneur
PP	Sermons pour la fête des saints Pierre et Paul
PPV	Sermon pour la vigile des saints Pierre et Paul
Pre	Le Précepte et la dispense
Pur	Sermons pour la fête de la Purification de la Bienheureuse Vierge Marie
QH	Sermons sur le psaume « Qui habite »
Quad	Sermons pour le Carême
SCt	Sermons sur le Cantique des Cantiques
Sent	Sentences
Sept	Sermons pour la Septuagésime

INTRODUCTION

Saint Bernard de Clairvaux est reconnu par bon nombre de personnes comme un maître remarquable de l'amour divin. Mais cet amour ne peut être vécu ni enseigné sans enseigner et vivre l'amour du prochain. La lecture et la méditation de l'oeuvre bernardine m'ont convaincu que Bernard, abbé, est également un maître insigne de l'amour du prochain.

Les mystiques, et saint Bernard en est un, expérimentent d'une façon mystérieuse le mystère de Dieu : le mystère de sa vie intime d'amour trinitaire, le mystère de sa volonté salvifique d'amour incarné, et le mystère de son amour communiqué, par lequel nous l'aimons et nous nous aimons nous-mêmes.

Bernard de Clairvaux, maître et mystique, est aussi un mystagogue : il communique le mystère et il aide les autres à s'y laisser introduire. Au don de l'expérience, le Seigneur a ajouté pour lui les grâces de pouvoir le comprendre, de l'expliciter, de la communiquer et d'entraîner à la suite du Père ou de l'Époux.

Bernard était un auteur monastique et il devra être compris comme tel. Son oeuvre est un témoignage éloquent de la théologie ascétiquement vécue, mystiquement goûtée et liturgiquement célébrée dans les cloîtres monastiques. Je m'approche donc du moine Bernard avec ma sensibilité théologique de moine et, j'ose aussi le dire, de moniale. Sa théologie est notre théologie. Une théologie qui se caractérise principalement par les procédés suivants :

- se servir de la *lectio divina* pour pénétrer dans le sens de la vérité révélée;

- interpréter l'Ancien Testament selon les quatre sens classiques, en donnant la préférence au sens tropologique ou moral;
- posséder une vision de l'homme radicalement optimiste;
- donner une large place à l'affection, à l'imagination et aux symboles;
- illustrer l'enseignement avec des exemples personnels;
- exiger une expérience de la révélation divine et la partager;
- conduire à une sagesse pratique ou sagesse de vie.

La présente étude se limite à exposer quelques aspects de l'enseignement de saint Bernard sur l'amour du prochain. Elle est centrée sur des textes qui, selon moi, font partie de la structure de l'édifice doctrinal qu'il n'a pas édifié, mais dont il a offert tous les éléments pour qu'un autre le fasse. Auparavant nous devons préparer soigneusement le terrain.

1

CONTEXTE DOCTRINAL

Je voudrais commencer cette étude en présentant cinq thèmes qui serviront de contexte pour les textes qui seront ensuite exposés et interprétés. Je considère que ce contexte permettra de situer l'enseignement de saint Bernard à sa juste place et d'en mesurer la portée et le rayonnement.

1.1 Dieu est Charité

À vingt-sept reprises, Bernard se fait l'écho de la parole du Disciple bien-aimé sur l'identité divine : Dieu est Charité[1]. Mais comment saint Bernard comprend-il cette révélation sublime ? Nous pouvons obtenir une réponse en consultant les paragraphes qui enchâssent la formule johannique que nous venons de citer.

Avant tout - avec un langage conceptuel, abstrait et précis dans ses distinctions - les paroles de Jean sur Dieu Charité se réfèrent « à Dieu et au don de Dieu », le Donnant et le donné, « la Charité donne la charité, la Charité substance donne la charité accident »[2].

Utilisant un langage symbolique, inspiré du psaume 18, saint Bernard ajoute : « la charité est la Loi immaculée et éternelle du Seigneur », elle maintient l'« unité dans la Trinité » et, d'une certaine façon, elle la « ceint et la lie par le lien de la paix »[3].

---

[1] 1 Jean 4,8.16.
[2] *Dil* 35.
[3] *Ibid.*; voir Éphésiens 4,6.

Cette Loi unitive est un symbole de la charité, qui est « volonté commune »[4], laquelle est en Dieu une « seule et unique volonté »[5].

Mais la Charité n'est pas seulement une Loi. En Dieu, la Charité est aussi en référence avec la personne de l'Esprit, « Colle forte » qui réalise l'« unité indivisible du Père et du Fils »[6].

Nul doute que les symboles personnels ou les personnifications de la Charité, même s'ils sont plus difficiles à bien saisir, font apparaître les dimensions plus profondes du mystère. Saint Bernard n'hésite pas à nous dire que la Charité est Mère, « Mère de l'unité », de la paix et de tous. Elle, la Mère Charité, Dieu Charité, elle est douce, elle aime la paix et elle se réjouit dans l'unité. Elle engendre, lie, consolide et conserve l'unité dans le lien de la paix[7]. Par le fait même, Elle aime tous les humains comme ses enfants[8] !

La Charité est Mère. Mais aussi elle est Dame (et Seigneur) qui doit être obéie[9]. Elle est également Reine et sa présence rend Dieu présent; elle réjouit et fortifie dans les dangers de la vie[10].

En définitive, Dieu Charité est un Père de miséricorde pour qui il est inné de faire miséricorde et de pardonner[11], et il est un Seigneur miséricordieux et clément[12] qui veut que tous les

---

[4] *Pasc* 2,8. On prendra note que j'utilise le mot « symbole » au sens large, dans la ligne d'Isaac de l'Étoile quand il parle de la « théologie symbolique » ou sensible (Sermon 22,9).

[5] *SCt* 71,8.

[6] *SCt* 8,2; pour le symbole de colle ou soudure, voir Isaïe 41,7.

[7] *Ep* 7,1.

[8] *Ep* 2,1.

[9] *Ep* 88,2; voir *Ep* 14.

[10] *Par* 1,6.

[11] *SCt* 69,6; voir 2 Corinthiens 1,3.

[12] *Ep* 77,8; voir *EpiV* 5; Psaume 110,4.

hommes soient sauvés[13]. Il nous aime avec cette charité qu'Il est Lui-même. Il est Charité aimante[14], en personne.

Ajoutons immédiatement que Christ « est Charité, parce qu'il est Dieu, et que Dieu est Charité »[15]. Bernard présente cette Charité du Christ à l'aide d'un symbole spécial : la Largeur. En conséquence, Dieu Charité est Largeur qui ne déteste rien de ce qu'il a fait; qui fait lever le soleil sur les méchants et sur les bons et qui accueille même les ennemis en son sein. C'est une Largeur qui s'ouvre à l'infini, qui a une extension infinie[16]. Ce Dieu Charité, qui est le Christ, « est mort dans un élan de miséricorde »[17].

Cet Époux de l'âme épouse, « non seulement est amant, mais il est l'Amour », puisque Dieu est Charité[18]. Lui seul peut combler la créature faite à l'image de Dieu[19]. L'âme épouse ne peut entrer en compétition avec l'Époux Amour, mais si elle se donne entièrement, elle aime avec tout son amour[20].

Quels sont ceux qui, de tout leur amour, aiment Dieu et tous les autres ? Ceux qui sont plus près de Dieu, qui est Charité, aiment plus et ils sont plus unis entre eux par une excellente « soudure »[21]. Parmi ceux-ci, les Séraphins occupent une place éminente eux qui vivent absorbés dans l'amour ardent du Dieu Charité[22]. Aussi l'âme des bienheureux dans le ciel et parmi eux

---

[13] *SCt* 19,6; voir 1 Timothée 2,4.

[14] 3 *Sent* 113 et 93.

[15] *Ep* 18,3

[16] *Csi* XIII,27-28.

[17] *Sept* 2,1

[18] *SCt* 83,4

[19] *SCt* 83,6; voir Genèse 1,27.

[20] *SCt* 83,6.

[21] *Ded* 1,7. Pour d'autres effets de la colle ou de la soudure, voir *SCt* 71,7; *Div* 4,3; *Ep* 142,2; 253,10.

[22] *SCt* 19,5.

les moines Gérard et Humbert qui, unis à la Charité qu'est Dieu, sont plus miséricordieux, charitables et bienveillants[23].

Il y a cependant une personne qui les surpasse tous. Celle qui, traversée par l'amour du Christ et répondant avec tout son amour, est devenue « Mère de la Charité dont le Père est Dieu Charité »[24]. En effet, les entrailles de Marie demeurèrent imprégnées de Charité, du fait que Dieu qui est Charité a reposé corporellement en elles durant neuf mois[25].

Le plus frappant de ce que nous venons de dire, c'est ceci : la majorité des symboles employés par Bernard pour se référer à Dieu Charité sont des symboles du genre féminin. Parmi tous ces symboles, le plus significatif est celui de la Mère Charité (*Mater Caritatis*). Et ce qui ressort le plus de la Charité, qui est Dieu, c'est sa capacité d'unir tous les humains dans le lien de la paix. De là, ce qui s'oppose le plus au Dieu Charité : la « volonté propre ou non commune »[26], la rupture de l'unité et de la paix[27], ainsi que la « discorde complice » et « l'amitié qui est la pire inimitié », l'amitié de ceux qui diffament leur prochain[28].

1.2 La source de la vie est la Charité

Dieu est Charité et la Charité est la Source de la vie. Celui qui ne boit pas à cette source ne pourra vivre; afin de pouvoir boire, il faut être présent et être présent c'est aimer[29].

---

[23]   *SCt* 26,5; *Humb* 7.
[24]   *SCt* 29,8.
[25]   *Assp* 1,2.
[26]   *Pasc* 3,3.
[27]   *Ep* 7,1; 224,3.
[28]   *SCt* 24,3-4.
[29]   *Pre* 60.

Dieu Charité est Source. Le Père, le Fils et l'Esprit Saint sont Source et Sources[30]. La Source est le symbole d'un amour inépuisable, d'un amour qui coule d'autant plus qu'on y puise davantage[31]. Nous-mêmes, que pouvons-nous puiser à cette Source pour mieux connaître le mystère de l'amour du prochain ?

Le Fils de Dieu vit appuyé sur le sein du Père, dans la tendresse paternelle. Il vit immergé dans la source de la miséricorde, dont la douceur lui est familière et dont la bonté lui est consubstantielle[32]. Depuis l'incarnation de ce Christ Sauveur, quatre sources jaillissent de son coeur. La quatrième et la principale, c'est la source de la charité, la source de l'Esprit qui est charité. À cette source nous buvons les eaux du désir qui se divisent en deux ruisseaux : celui de l'amour de Dieu pour lui-même, et celui de l'amour du prochain, comme de soi-même, en Dieu et pour Dieu[33].

Christ nous lave dans sa source baptismale de charité qui est en elle-même une source inépuisable de miséricorde[34]. Les justes, comme des cerfs assoiffés, désirent boire toujours à cette source pour se délecter dans la plénitude de la charité[35].

En premier lieu, les saints du ciel, parce qu'« ils vivent dans la source même de la miséricorde », débordent d'une profonde miséricorde; ils connaissent mieux nos misères et ils intercèdent pour nous avec plus d'intérêt. « Ils sont incapables de pâtir, mais non de compatir »[36]. L'ami et archevêque Malachie est un

---

[30] *NBMV* 3; *NatV* 4,9.

[31] *NatV* 4,1.

[32] *SCt* 42,10.

[33] *Div* 96,1.5-6; voir *Div* 117; *Ep* 341,2. Pour l'arrière-plan biblique, voir Isaïe 12,3 et Jean 7,37-39; il faudrait encore ajouter Jean 4,14 et Psaume 12,6 (traduction de la Bible de Jérusalem).

[34] *Nat* 1,5; voir *SCt* 44,1.7.

[35] *Ep* 18,2.

[36] *PPV* 2.

exemple éloquent de cette charité miséricordieuse[37]; dans l'hymne que saint Bernard a composée pour sa fête, on chante : « Une fois rompus les liens mortels, que ne tarisse jamais le jaillissement de cette source de bonté. Que le bienheureux ne méprise jamais les miséreux, ni le père les orphelins »[38].

Mais ce n'est pas seulement du ciel, c'est également ici et maintenant, par la charité de l'esprit dans le lien de la paix, que peuvent jaillir « dans la source très pure et cristalline du coeur les eaux les plus limpides » des pensées de miséricorde et de sollicitude. L'abbé de Anchin, Alvise, en est le témoin[39].

Il y a toutefois une grande différence entre la source divine et la nôtre. Dieu est Source toujours pleine « en lui-même et de lui-même » et cette source débordante inonde tout de sa miséricorde. Nous-mêmes, nous sommes plus « coquille » que source; nous devons d'abord nous remplir pour ensuite transmettre[40].

L'épouse qui aime avec le don entier de son amour sait bien que le flot ne coule pas avec la même abondance « de l'assoiffé et de la source »[41]. L'épouse sait encore quelque chose de plus : il existe « un vent brûlant qui assèche la source de la douceur, la rosée de la miséricorde et le ruisseau de la grâce »; ce vent, c'est « le vice désastreux et abominable de l'ingratitude » devant la miséricorde salvatrice de Dieu[42].

Marie, pleine de grâce, surabonde en miséricorde; elle est Mère de miséricorde et source de bonté d'où ne jaillit que la bonté. La vertu de la miséricorde demeura imprimée dans ses

---

[37] *Ep* 374,2.

[38] *MalH* : *Absit ab illo fonte pietatis, / Sorte levata, segnius manare; / Absit ut spernat miseros beatus, / Orphanos pater.*

[39] *Ep* 65,2; voir *Ep* 437. Pour l'arrière-plan, voir Matthieu 5,7; 9,13; Éphésiens 4,3.

[40] *SCt* 18,4.

[41] *SCt* 83,6.

[42] *SCt* 51,6; 11,7.

entrailles puisqu'elle y a reposé durant neuf mois[43]. Mais Marie est encore davantage : elle est un « aqueduc » qui reçoit la plénitude de la source jaillissant du coeur du Père; c'est pourquoi sa charité est suréminente. Appuyons-nous sur Elle pour plaire à Dieu; faisons que ces grands débits de grâce retournent à leur source par son intermédiaire et qu'ils rejaillissent plus abondamment encore[44].

La Charité, nous l'avons vu, est Mère d'unité. Elle est aussi, nous sommes en train de le voir, Source d'une insondable miséricorde. C'est une grande chose que l'amour à condition que l'on se vide dans sa Source et que l'on y reprenne toujours un débit abondant[45].

1.3 Il nous a aimés le premier

Parce que Dieu est Charité et Source originelle de Charité, et précisément pour cette raison, Dieu nous aime le premier. Une fois de plus, c'est Jean qui apporte une parole à Bernard pour appuyer sa vie et pour exprimer sa pensée[46].

Cette primauté de l'amour de Dieu est le motif principal qui Le rend digne de notre amour. Il mérite bien que nous lui rendions amour pour amour, surtout si nous considérons : qui aime, qui il aime et combien il aime.

Qui aime-t-il et combien ? En choeur avec Paul et Jean, Bernard nous répond : il aime les ennemis et les impies, en livrant son Fils et celui-ci donne sa vie pour nous rendre amis[47].

---

[43] *EpiP* 2,4; 1,2; voir *Assp* 4,9.

[44] *NBMV* 4,13.18.

[45] *SCt* 83,4; voir 13,1.

[46] 1 Jean 4,10.19 est cité au moins une douzaine de fois dans l'oeuvre de saint Bernard.

[47] Romains 5,6-7.10; 8,32; Jean 3,16; 15,13; textes cités dans *Dil* 1.

Et, continuant seul, saint Bernard ajoute : « Lui si grand, nous si petits, il nous a aimés si généreusement et gratuitement, tels que nous sommes »[48].

Qui est celui qui aime ainsi ? La Majesté et Toute-Puissance Suprême, le Juste, la Charité véritable qui aime avec pureté et grâce; Lui qui n'a aucun besoin de mes biens et qui ne cherche pas son propre intérêt[49]. Nous reviendrons encore sur ce point car il sert de modèle et de programme pour notre amour.

Celui qui nous aime ainsi, c'est le Christ. Il n'est pas mort pour son propre intérêt, ni par besoin de nos biens, ni pour récompenser une faveur, car personne ne lui a prêté en premier de sorte qu'il doive rendre[50]. Il est mort pour transformer les ennemis en amis et pour donner l'existence à ceux qui n'existaient pas : en Lui, nous avons été choisis et graciés avant la création du monde[51]. C'est en cela précisément que consiste la grâce : non pas en ce que nous ayons aimé Dieu, mais en ce que Lui nous a aimés le premier[52].

Comme nous pouvons le voir facilement, l'Époux amant a toujours la primauté dans l'amour. Après l'avoir libérée, il donne à l'épouse le nom d'amie, mais « Lui il était déjà son ami avant de la libérer, sinon il n'aurait jamais libéré qui il n'aurait pas aimé »[53]. L'épouse est à l'Aimé, parce que l'Aimé le premier a été pour elle; tout est grâce : l'amour de l'épouse comme celui de l'Époux, car rien de cela n'est attribué aux mérites[54]. L'épouse cherche l'amour de son âme, parce qu'elle y est invitée par la douceur de celui qui d'abord l'a cherchée et aimée[55].

---

[48] *Dil* 16.
[49] *Dil* 1, citant Psaume 15,2 et 1 Corinthiens 13,5.
[50] Romains 11,35.
[51] Éphésiens 1,3-4.6.
[52] *QH* 9,3; *SCt* 20,2. Voir le texte récapitulateur de 3 *Sent* 113.
[53] *SCt* 39,10, citant Cantique des Cantiques 1,10.
[54] *SCt* 67,10, citant Cantique des Cantiques 6,3.
[55] *SCt* 84,5, citant Cantique des Cantiques 3,1; voir *Assp* 4,2.

L'amour et le désir de l'Époux créent notre désir[56], il fait que nous l'aimions et il se fait aimable[57]; les aimés sont ceux que nous aimons[58] ecelui qui aime ne doute pas qu'il est aimé[59]. Il aime pour qu'on l'aime et pour que ceux qui l'aiment trouvent là leur bonheur[60].

Que dire maintenant de Celle qui a chanté un cantique qui « commence par la miséricorde, finit par la miséricorde et gravite tout entier autour de la miséricorde »? Cette humble esclave, qui a vécu sa tâche de servante dans un don confiant et dévoué, n'aurait pas osé lever les yeux vers le Seigneur, si Lui le premier n'avait daigné la regarder d'une façon particulière dans sa miséricorde[61]. Elle est la seule à avoir trouvé une grâce totale auprès de Dieu. Grâce totale, car elle est à la fois singulière et universelle : elle fut l'unique à trouver pleine grâce et tous nous recevons de sa plénitude[62].

Que nous apprend donc à nous cette primauté de l'amour de Dieu ? Elle nous apprend à avoir miséricorde de notre propre âme, ce qui a une grande valeur dans le coeur du Père des miséricordes et des miséreux[63]. Elle nous apprend aussi que « le véritable amour consiste à venir d'abord en aide à celui qui a davantage besoin »[64].

On peut encore ajouter quelque chose de plus. De tous les textes allégués, il ressort que, comme il est propre à Dieu de nous devancer par son amour, ainsi nous aussi nous devons nous

---

[56] *SCt* 57,6; voir 69,7.
[57] *Dil* 22.
[58] *Ep* 107,8; voir *SCt* 79,6; 83,6.
[59] *Ibid.*; voir *SCt* 69,8; 84,6.
[60] *SCt* 83,4.
[61] 3 *Sent* 127; 11; 3.
[62] *Ann* 3,8.
[63] *Ded* 5,2.4, citant 2 Corinthiens 1,3.
[64] *SCt* 50,6.

devancer dans l'amour sans attendre d'être d'abord aimés par le prochain.

1.4 La charité ne cherche pas son intérêt

Parce que Dieu aime le premier, et précisément parce qu'il aime le premier, son amour est gratuit et désintéressé : il ne cherche pas nos biens[65] ni son propre intérêt.

À de multiples occasions, Bernard recourt à l'hymne paulinien sur la charité et à des textes semblables pour exprimer ce qui est le plus caractéristique de la charité : la charité ne cherche pas son intérêt, mais bien l'intérêt de Jésus Christ et ce qui est utile pour les autres[66].

La Loi immaculée du Seigneur, c'est la Charité immaculée qui ne cherche pas ce qui est utile pour soi-même mais ce qui est utile pour les autres[67]. Par le fait même, elle est « lumière » et « pureté »[68].

Pour saint Bernard, les « coeurs purs » sont ceux qui ne cherchent pas leur propre intérêt mais celui de Jésus Christ, ni ce qui est utile à eux-mêmes mais ce qui l'est aux autres[69]. Par conséquent, la « pureté du coeur », ce n'est pas autre chose que chercher la gloire de Dieu et servir le prochain[70], plaire à Dieu et

---

[65] Psaume 15,2.

[66] *Dil* 1. Bernard cite 39 fois 1 Corinthiens 13,5; 10 fois 1 Corinthiens 10,33 (citation utilisée dans la Règle de saint Benoît, 72,7), et 35 fois Philippiens 2,21.

[67] *Dil* 35.

[68] *SCt* 62,8. Pour le symbole de la lumière en référence à Dieu, à ses enfants et à la charité, voir 1 Jean 1,5-7; 2,9-11.

[69] *Conv* 32.

[70] *Ep* 42,10.

sauver les âmes, être au service des autres plutôt que de les gouverner[71].

Ainsi, de cette manière, avec une « charité sincère et véritable », qui procède d'un « coeur pur, d'une conscience bonne et d'une foi sincère »[72], qu'ils aiment, les enfants de Dieu qui ne cherchent pas leur propre intérêt[73]. Cet amour gratuit, pur et juste, caractérise le troisième degré de l'amour où l'on aime Dieu pour Dieu même et non pour soi-même[74].

Les « Marthe » dans les monastères - c'est-à-dire ceux qui se consacrent à l'administration et sont au service des frères, ceux qui président avec diligence et ceux qui remplissent différents services - accomplissent dans leurs charges la volonté du Seigneur et sont en train de Lui faire à Lui-même le don de leurs propres vies. Dans la mesure où ils ne cherchent pas leur propre avantage mais le Sien et dans la mesure où ils sont mus par la charité fraternelle, ils sont « fidèles », leur « intention est pure » et leur activité est bien ordonnée[75].

Bernard présente de nombreux exemples de personnes qui ne cherchent pas leur propre intérêt. Elles ne le cherchent pas parce que, en aimant, elles le possèdent déjà[76]. Lui-même sait par expérience que son « utilité ne consistera pas à chercher son propre profit mais celui des autres »[77]. Il n'hésite pas à porter témoignage : « La charité qui ne cherche pas son intérêt m'a

---

[71] *Abb* 6. Bernard est en train de commenter 1 Timothée 1,5. Notez la référence à la Règle. Voir *Div* 45,5.

[72] 1 Timothée 1,5.

[73] *Dil* 34; voir *Div* 3,1; 3 *Sent* 92.

[74] *Dil* 26.

[75] *Assp* 3,4-6.

[76] *SCt* 18,3; voir le préambule de *MalV*; la liste des personnes modèles comprend Moïse, Pierre et Paul, Gérard de Clairvaux, Aelred de Rievaulx et des compagnons légats, Bernard lui-même, l'Évêque Étienne, les chercheurs de Dieu, ceux qui exercent bien l'autorité...

[77] *SCt* 52,7.

convaincu depuis longtemps que je ne dois faire passer aucun goût personnel avant ce qui vous est utile. Prier, lire, écrire, méditer et toute autre richesse spirituelle, je considère cela comme une perte par rapport à vous »[78].

La Vierge Marie, une fois de plus, occupe une place d'honneur parmi tous les exemples et les modèles. Elle, elle a tout considéré comme une ordure pour gagner le Christ; elle s'est unie à Lui et elle a adhéré à Lui avec une telle « concorde de volonté » que de sa chair le Fils de Dieu a pris chair[79]. De plus, avec une « inépuisable charité », elle s'est faite « toute à tous » et débitrice envers tous[80].

Mais, d'une façon lamentable, la « grande majorité » des hommes cherchent leurs intérêts[81]. Parmi eux, il ne manque pas de chrétiens[82], de nombreux ministres de l'Église[83] et, ce qui est encore pire, des moines[84]. Il faudrait encore ajouter les ambitieux[85], les flatteurs[86], les murmurateurs[87] et d'autres dont Bernard fait mention avec leur nom et prénom[88]. La liste peut être complétée avec ceux qui, dans des circonstances données, offrent des conseils différents de ceux que Bernard donne lui-même ![89]

Tous ces chercheurs d'eux-mêmes méconnaissent la volonté du Seigneur et ils ne peuvent la discerner, car ils n'ont pas reçu

---

[78]   *SCt* 51,3.
[79]   *Miss* 3,3-4.
[80]   *AssO* 2, citant 1 Corinthiens 9,22 et Romains 1,14.
[81]   *Dil* 6.
[82]   *QH* 6,7; voir *NatV* 6,8; *Div* 3,9; 3 *Sent* 122; *Par* 4,5.
[83]   *QH* 14,5; voir *SCt* 33,15; préambule de *MalV*.
[84]   *SCt* 84,4; voir 3 *Sent* 31.
[85]   *Csi* III,5.
[86]   *Ep* 185,4.
[87]   *SCt* 24,2.
[88]   *Ep* 4,2; 108,3; 126,3; 339; 431; 432.
[89]   *Ep* 244,3; voir aussi *Ep* 3; 22; 68,4; 72,5; 82,1; 169; 238,2; 368,2; 397,3.

la sagesse qui vient de Dieu[90]. Ils sont prisonniers de leur
« volonté propre » qui veut seulement leur avantage personnel et
la satisfaction de leurs propres ambitions; ils se refusent à rendre
gloire à Dieu et à être utiles aux frères[91].

Le pire est que, lorsque cette volonté s'obstine et se trans-
forme en « obstination », elle nous empêche absolument de nous
approcher des autres avec amour. On ne pourra être guéri que
par cet amour qui ne cherche pas son avantage[92]. Afin de ne
pas demeurer écrasés sous cet horrible joug qui nous place au
bord de l'enfer, prions le Seigneur :

« Seigneur mon Dieu, pourquoi ne pardonnes-tu pas mon
péché et n'effaces-tu ma faute ? Fais que je dépose le poids
écrasant de la volonté propre et que je respire sous le poids
léger de la charité. Que la crainte servile ne me contraigne
pas et que la convoitise du mercenaire ne me consume pas,
mais que ce soit ton Esprit qui m'anime. Cet Esprit de liberté
qui anime tes fils, qu'il rende témoignage à mon esprit que je
suis moi aussi l'un d'eux, que j'ai la même loi que toi et que
dans ce monde je suis ton imitateur. »[93]

1.5 La charité est multiple et ordonnée

La charité - ou l'amour - est une, mais ses expressions sont
multiples, et comme ces expressions se trouvent bien souvent
désordonnées, il faut les ordonner.

À deux occasions[94], saint Bernard compare l'amour avec les
sens du corps. Ainsi, comme il y a cinq sens corporels, de même

---

[90] *Nat* 1,5. Pour l'arrière-plan biblique, voir Jacques 3,17 et Romains
      12,2.
[91] *Pasc* 3,3.
[92] *Assp* 5,13.
[93] *Dil* 36.
[94] *Div* 10; 3 *Sent* 73.

il y a aussi cinq formes d'amour qui doivent se vivre d'une manière évangélique, selon une hiérarchie de dignité. En conséquence, nous pouvons mentionner :

- le toucher : l'amour affectueux (*pius*) ou charnel (*carnalis*) des parents;
- le goût : l'amour agréable (*jucundus*) ou social (*socialis*) des compagnons (*socios*);
- l'odorat : l'amour juste (*justus*), général ou naturel (*naturalis*) envers tous les hommes;
- l'ouïe : l'amour coûteux (*violentus*) ou spirituel (*spiritualis*) des ennemis;
- la vue : l'amour saint, fervent (*devotus*) ou divin de Dieu.

Notons tout de suite que, de même que les membres du corps meurent si l'âme ne les vivifie pas, de la même manière ces différentes formes d'amour dépérissent si elles sont privées de l'« âme spirituelle de l'âme même » qui est Dieu[95]. Sans Lui, l'amour ne mérite pas le nom d'amour, soit parce que l'on n'aimera pas avec intégrité ce que l'on doit aimer, soit que l'on n'aimera pas autant et de la façon dont on doit aimer[96].

Si nous aimons selon les cinq formes d'amour, nous renouvelons notre esprit; nous pourrons ainsi connaître ce qui est bien, ce qui est agréable, ce qui est parfait et ce que Dieu veut, et nous pourrons ressentir la bonté du Seigneur, les sentiments du Christ Jésus. C'est dire que, par les cinq sens de l'esprit, la charité vivifie l'âme et la renouvelle dans la connaissance de Dieu[97].

Il est donc évident que l'amour de Dieu et l'amour pour Dieu ont une priorité absolue et englobent toute expression d'amour. Dieu est Charité, il est Source de la Charité, Il aime le premier, gratuitement, et Il crée notre amour; Il aime pour que nous l'ai-

---

95 *Div* 10,1.4.
96 *Ibid.*
97 3 *Sent* 73, citant Romains 12,2; Sagesse 1,1; Philippiens 2,5.

mions et que nous soyons heureux dans l'amour. Il est « cause efficiente et finale » de notre amour[98].

Nous pouvons cependant nous demander : l'amour de Dieu précède-t-il l'amour du prochain dans le temps ? Ce thème est objet de discussion. D'un côté, il semble qu'on ne puisse aimer le prochain pour Dieu si d'abord on n'aime pas Dieu; mais, d'un autre côté, il est écrit : « celui qui n'aime pas son frère qu'il voit, comment pourra-t-il aimer Dieu qu'il ne voit pas ? »[99]. À cette question qui a une saveur plus scolastique que monastique, Bernard donne une réponse qui n'est pas exempte de précision scolaire : « On peut voir l'amour de Dieu sous deux jours : l'amour débutant et l'amour adulte. Alors, l'amour de Dieu précède, en tant que débutant, et il avance précédé par l'amour du prochain pour se nourrir de lui »[100]. Ou en d'autres mots : l'amour de Dieu ne peut se perfectionner s'il ne se nourrit pas de l'amour du prochain et s'il ne grandit pas grâce à lui.

Dans les pages qui vont suivre, nous ne parlerons pas beaucoup de cet amour divin. Nous ne traiterons pas davantage de l'amour des parents et de l'amour des ennemis d'une façon explicite. Bernard parle peu du premier; il le donne comme entendu et compris, puisque même « les animaux sauvages » le vivent[101]. Au sujet du second, Bernard a quelque chose de plus à dire; cependant, nous ne mettrons pas l'accent sur cet amour, et ce n'est certainement pas parce qu'il y a absence d'ennemis ou d'inimitiés dans notre monde ou dans nos propres vies. Qu'il suffise de rappeler que ni la nature ni la nécessité suscitent cet amour et que c'est cet amour des ennemis qui fait de nous des fils dans le Fils du Père qui est aux cieux[102].

---

[98] *Dil* 22.

[99] 1 Jean 4,20.

[100] 1 *Sent* 21.

[101] *Div* 10,2.

[102] 3 *Sent* 73.

Notons, en passant, que dans les deux textes déjà mentionnés sur les cinq formes de l'amour, saint Bernard ne parle pas de l'amour de soi. Si les sens corporels avaient été au nombre de six, il n'aurait pas omis cet amour ! Déjà nous l'avons rencontré.

Par conséquent, lorsque dorénavant je parlerai de l'amour du prochain, j'aurai à l'idée de préférence l'« amour social » et l'« amour naturel », selon la nomenclature et la conception bernardines. Dès maintenant et d'une manière brève, caractérisons ces deux sens ou expressions de l'amour. Je le fais en laissant de côté la comparaison avec les sens du goût et de l'odorat, afin de ne pas entrer en discussion avec les connaissances physiologiques et anatomiques de Bernard.

L'amour social est l'amour des compagnons et des frères, et il est aussi l'amour de la sainte Église catholique. Cet amour social crée des liens d'association : soit par la convivence physique dans un lieu, soit par l'affinité des professions ou des offices, soit par la similitude des intérêts ou pour d'autres motifs de ce genre. Il se nourrit de services mutuels et il s'enflamme des affections de la charité fraternelle. C'est de cet amour qu'il est dit : « Oh !, qu'il est bon, qu'il est doux pour des frères de vivre dans l'union mutuelle ». Bernard considère cet amour si nécessaire à la vie humaine qu'il n'hésite pas à affirmer : « Du moins dans notre vie communautaire, je ne comprends pas quelle vie peut avoir celui qui n'aime pas ceux avec qui il vit »[103].

L'amour naturel se réfère à l'amour inné pour tout être humain, du fait de la ressemblance et de l'union dans la même nature, et il est sans attente de récompense. Il ne se limite pas à la consanguinité, ni pour le compagnonnage ou l'amitié, ni pour aucune nécessité de ce genre. Il considère seulement le respect de l'humanité connaturelle. Cet amour, qui procède du plus

---

[103] *Div* 10,2; 3 *Sent* 73, citant Psaume 132. Voir *SCt* 26,10: « Ce n'est pas chose inutile que la vie sociale ou commune [...]; la douleur mutuelle de ceux qui sont séparés fait bien voir ce que l'amour accomplit entre ceux qui sont présents » (voir *Ep* 143,3).

secret de la nature, pénètre l'âme et il « ne souffre pas que quelque chose d'humain lui soit étranger »[104].

Nous terminerons en disant qu'il n'est pas facile de rencontrer des hommes ou des femmes qui vivent d'un amour ordonné : « qui aiment Dieu de tout leur être; qui s'aiment eux-mêmes et le prochain, en référence à Dieu; qui aiment leurs ennemis, car peut-être un jour ceux-ci les aimeront-ils; qui aiment leurs parents de chair avec un amour naturel intense, et qui, par grâce et avec plus de libéralité, aiment les spirituels et les maîtres »[105]. Non, ce n'est pas facile; c'est pourquoi il nous convient de prier :

« Ô Sagesse, toi qui parcours l'univers avec vigueur d'une extrémité à l'autre, tu le gouvernes avec succès, tu ordonnes tous les êtres avec douceur et tu coordonnes toutes leurs affections ! Dirige nos oeuvres comme l'exigent les besoins de notre vie temporelle et règle toutes nos affections ainsi que le requiert la vie éternelle, pour que nous puissions tous nous glorifier en toi et dire avec assurance : "Le Seigneur a ordonné en moi l'amour" »[106].

***

Avant de poursuivre, je désire souligner les affirmations clés qui se trouvent contenues dans les cinq thèmes exposés ci-haut. Ce sont les suivantes :

- Dieu Charité est Père miséricordieux et Mère qui unit.
- L'Esprit Charité est « Colle » unifiante.

---

[104] 3 *Sent* 73. En ce qui concerne la « loi naturelle de toute société », voir *Div* 16,3; 50,3.
[105] *SCt* 50,8; voir *Gra* 17; 3 *Sent* 76.
[106] *SCt* 50,8, citant Cantique des Cantiques 2,4 (Vulgate).

- Christ Charité est « Largeur » infiniment étendue qui accueille et fait du bien à tous.
- Marie est Mère de la Charité dont le Père est Dieu Charité.
- Notre volonté propre et nos discordes détruisent l'unité et la paix que nous donne Dieu Charité.

- Dieu Charité, Père, Fils et Esprit, est Source et ils sont Sources de miséricorde inépuisable.
- Le coeur du Christ Sauveur est Source des eaux de l'amour de Dieu et du prochain.
- Christ nous lave et il nous abreuve à la source baptismale de son infinie charité et miséricorde.
- Marie est source de miséricorde et « aqueduc » qui reçoit la plénitude de la Source du coeur du Père.
- Nous-mêmes, nous sommes plus des « coquilles » que des sources; si nous ne nous remplissons pas en premier nous n'avons rien à communiquer.

- Dieu nous aime le premier parce qu'il est Charité et Source originelle de miséricorde.
- Dieu nous aime en nous donnant son Fils; il le donne aux ennemis pour les faire amis.
- L'amour de Dieu Époux crée notre amour pour que nous aimions et que nous soyons heureux dans l'amour.
- Marie fut la première à être regardée d'une façon particulière par la miséricorde de Dieu; c'est pourquoi elle a chanté comme nulle autre les miséricordes divines.
- De Dieu qui nous a aimés le premier, nous apprenons à avoir d'abord miséricorde de nous-mêmes, à venir en aide en premier à celui qui a davantage besoin et à nous dépasser dans l'amour.

- L'amour de Dieu en Jésus Christ, parce qu'il est premier, est vrai et pur : il est désintéressé et gratuit.
- La Loi immaculée de l'amour est immaculée et elle est lumière : elle ne cherche pas ce qui est utile pour soi mais elle cherche ce qui est utile pour les autres.

- Les coeurs purs cherchent seulement la gloire et la joie de Dieu; et de la même façon, ils cherchent seulement le service, l'utilité et le salut du prochain.
- Ceux qui servent d'une manière désintéressée servent par amour; ils se donnent dans ce service et ils aiment le Seigneur.
- Parmi les modèles d'amour désintéressé, Marie les surpasse tous, elle qui a donné jusqu'à sa chair au Fils de Dieu et qui se fit toute à tous.
- La grande majorité d'entre nous nous cherchons, avec obstination même, notre propre intérêt et c'est ce qui nous empêche de nous approcher des autres avec amour.

- L'amour est un, mais ses expressions sont multiples et elles doivent se vivre dans l'ordre.
- L'amour pour Dieu et de Dieu a la priorité absolue et il inclut en lui-même toute expression d'amour, car c'est lui qui permet à cette expression d'être telle.
- L'amour du prochain nourrit et perfectionne l'amour de Dieu qui le précède, mais à l'état de commencement.
- L'amour social est l'amour des compagnons et des frères, il associe les hommes pour différents motifs, il se nourrit de services et il est source de satisfaction et de douceur.
- L'amour naturel est inné et il n'a pas d'autre limite que le partage de la même nature; il n'exclut personne, pas même soi-même.
- La Sagesse divine nous rend sages en ordonnant notre amour tel que le requiert la vie éternelle.

TEXTES CLÉS

Avec le contexte doctrinal qui vient d'être esquissé comme fondement ou toile de fond, je tenterai maintenant de présenter divers textes de saint Bernard sur l'amour du prochain. Je les rassemble autour de trois grands noyaux : le précepte du Seigneur, la béatitude de la miséricorde et l'école de la charité. Le précepte et la béatitude se réfèrent à tout homme; l'école, selon Bernard, se réfère proprement aux moines, même si aujourd'hui nous n'excluons pas d'autres possibilités. Je considère que ces textes vont nous permettre d'établir les piliers ou les traits structurants de la doctrine bernardine.

2.1 Le précepte du Seigneur

Saint Bernard se réfère fréquemment au commandement du Seigneur sur l'amour du prochain. Pour le faire, il utilise les paroles mêmes de Jésus dans l'Évangile, ou des paroles empruntées à la tradition apostolique. Voyons quelques-uns de ces textes.

Amour social

Le *Traité sur l'amour de Dieu*, par son genre littéraire lui-même, est une pièce clé en tout ce qui concerne l'amour. À partir du paragraphe 23, après avoir parlé de la perfection de notre amour, Bernard commence à exposer l'origine de ce même amour. C'est dans cette perspective qu'il développe le thème des degrés de l'amour. Présentement, c'est le premier de ces degrés qui nous intéresse, avec son ouverture sur la dimension communautaire.

L'amour est l'une des quatre affections naturelles, c'est-à-dire qu'il provient de la nature. C'est pourquoi le plus juste serait qu'il se mette d'abord au service de l'Auteur de la nature. C'est ce que nous rappelle le principal et premier commandement. Mais comme la nature est bien fragile et malade, elle s'aime d'abord elle-même, par nécessité. Cet amour, par lequel l'homme s'aime lui-même avant toute autre chose, Bernard le nomme « amour charnel »[107]. Comme c'est un amour inné, il n'a besoin de l'aide ou de l'encouragement d'aucun commandement[108].

Cet amour ne se contente toutefois pas du nécessaire dans le domaine des besoins physiques, physiologiques, affectifs et personnels; il se répand même dans le superflu. Le plaisir est ce qui conduit l'homme à se laisser emporter par le superflu. Et c'est ici précisément qu'intervient le précepte du Seigneur : « Tu aimeras ton prochain comme toi-même »[109].

En fait, que « le compagnon dans la même nature » participe à la grâce qui vient avec la nature, rien n'est plus juste[110]. Et

---

[107] *Dil* 23. Dans *Div* 10 et 3 *Sent* 73, Bernard qualifie de charnel l'amour envers les parents. Mais l'usage de ce mot ici se justifie, puisque l'amour de soi se réfère à ce qui est plus près selon la chair, et personne n'est plus près de soi que soi-même. Cet amour de soi est positif s'il s'ouvre aux autres et il est négatif s'il se referme sur lui-même: vouloir satisfaire en soi-même le désir absolu de l'amour, c'est un suicide narcissique.

[108] Dans la ligne de la pensée biblique, j'entends par «charnel»: chair ou corps vivant et fragilité, c'est-à-dire tout l'homme en tant qu'être de besoin. L'amour charnel a une primauté de nécessité et non de valeur en regard de l'amour de Dieu (voir *SCt* 50,5-6, sur l'ordre inversé ou la vérité de l'amour).

[109] *Dil* 23, citant Matthieu 22,39.

[110] On notera que la nature inclut également la grâce de création qui fait l'homme « capable de Dieu » (*SCt* 80,2). Et, en définitive, rien de plus juste que de partager Dieu comme Père en ayant tout homme comme frère. Celui qui partage ainsi partage tout.

pour que cela se réalise, la vie comme la discipline imposent le frein de la tempérance. De toute évidence, il est plus juste et honnête de partager les biens naturels avec le prochain qu'avec l'ennemi de l'âme, c'est-à-dire les désirs de plaisirs[111].

Il faut encore ajouter deux choses[112]. Que faire si, en voulant partager des biens avec le prochain, il nous arrive de manquer du nécessaire ? La réponse de Bernard est catégorique dans ce cas : faire confiance à la Providence divine ! Dieu ne laissera jamais sans le nécessaire celui qui se prive du superflu par amour du prochain. C'est en cela que consiste la recherche de la justice du Royaume qui permet de recevoir le reste par surcroît[113].

Pouvons-nous déjà dire, sans plus, que cet amour du prochain, comparé à la justice, est parfait ? Non. Il atteint sa perfection seulement quand il naît de Dieu et que Lui en est la cause; c'est-à-dire que pour aimer son prochain avec pureté, il faut l'aimer en Dieu et à cette fin il faut d'abord aimer Dieu. Pourquoi ? Parce que si on ne reconnaît pas le Créateur et Conservateur de la nature, le Bienfaiteur de tous les biens, on court le risque inévitable de s'arroger orgueilleusement les bénéfices reçus comme étant propres et individuels; quand cela arrive, on ne partage plus rien avec le prochain, ou on partage avec condescendance indulgente ce qui doit être partagé avec justice amoureuse[114].

Par conséquent, l'amour de Dieu précède à l'état embryonnaire, l'amour du prochain le nourrit, et l'amour de Dieu pour Dieu rend l'amour du prochain doux et gratuit...[115]

---

[111] *Dil* 23, citant Siracide 18,30; 1 Pierre 2,11.

[112] *Ibid.* L'amour social correspond à l'« amour naturel », général ou juste de 3 *Sent* 73 et *Div* 10.

[113] *Dil* 24, citant Luc 12,31.

[114] *Dil* 25.

[115] *Dil* 26; voir *Div* 96,6: « L'amour du prochain, nous le pratiquons aussi de trois manières: en semant la charité là où elle n'existe pas; en la stimulant là où elle existe, et en empêchant qu'elle meure ou qu'elle diminue. Celui qui pratiquera cet amour du prochain avec pureté grandira indubitablement dans l'amour de Dieu ». Voir aussi 1 *Sent* 21.

Il est facile de voir que l'amour du prochain, dont Bernard parle ici, consiste à faire du bien aux autres, en s'occupant de leurs besoins et partageant les biens. C'est un amour fait d'oeuvres et de vérité[116].

Dans un monde matérialiste et consommateur, hédoniste et égoïste comme le nôtre, l'actualité de cette doctrine s'impose sans qu'il y ait besoin d'idéologues de café ou de révolutionnaires de salon.

Héritage partagé

Le second texte que je présente maintenant est bref : il s'agit du sermon 103 De Diversis. Ce sermon fait référence à quatre degrés dans le progrès des élus. Ces quatre degrés progressent ainsi : devenir l'ami de son âme, de la justice, de la sagesse et parvenir finalement à être sage. Parmi ces degrés, c'est le premier qui nous importe maintenant, sans oublier que le quatrième et dernier consiste dans la complaisance mutuelle en Dieu et dans le repos en Lui[117].

Le premier degré accomplit le précepte divin : « Tu aimeras ton prochain comme toi-même ». Afin de pouvoir l'accomplir, il faut toutefois être passé de l'emprise de la chair à la conduite de l'Esprit. Mais, en quoi consiste l'amour de soi-même ? Il consiste à « éviter ce qui peut blesser l'âme et à aimer tout ce qui lui convient »; ce qui entraîne simultanément « l'horreur de l'enfer et le désir du ciel »[118].

En conséquence, qu'est-ce donc qu'aimer le prochain ? Aime son prochain quiconque « ne lui souhaite aucun mal, comme il

---

[116] En ce qui touche cet amour effectif, voir SCt 50,2-5. Noter que le précepte du Seigneur se réfère explicitement aux oeuvres et que cet amour effectif inclut l'affection.

[117] Div 103,1.4.

[118] Div 103,1.

n'en veut pas pour lui-même, et lui souhaite la possession du ciel comme il la veut pour lui-même ». En fait, rien de plus raisonnable car « que gagne l'homme à ce que son prochain brûle dans l'enfer; ou que perd-il s'il l'accompagne au paradis ? L'héritage du paradis n'est pas de ceux qui diminuent quand on est plusieurs à le partager »[119].

En réalité, tout se résume ainsi : avec l'aide de l'Esprit, pouvoir suivre le prudent conseil qui déclare : « Aie compassion de toi-même en étant agréable à Dieu »[120]. Celui qui aime de cette façon aimera son prochain, et c'est précisément cela qui est agréable à Dieu[121].

Si le texte précédent mettait l'accent sur le partage des biens matériels, celui-ci souligne l'importance de partager les biens spirituels, ici et là, dans le temps et dans l'éternité. De cette manière, on élimine tout « horizontalisme » qui placerait son espérance dans le temporel et l'intramondain, sans ouverture au transcendant et à l'éternel.

Largeur de l'âme

Nous passons maintenant au premier sermon sur le Cantique que Bernard a composé après le passage au ciel de son frère Gérard. Il commente les paroles de l'épouse : « Je suis belle comme les tentes de Salomon »[122]. Le commentaire se développe au moyen d'une riche symbolique basée sur des textes bibliques parlant de tentes et de cieux. Nous arrivons ainsi aux âmes saintes qui, par imitation de l'« Homme céleste », peuvent s'appeler cieux[123].

---

[119] *Ibid.*
[120] Siracide 30,24 (Vulgate).
[121] *Div* 103,1. Pour d'autres textes sur la relation entre l'amour de soi et l'amour du prochain, voir: *Quad* 5,1; *Ep* 8,1; 42,9-13; 87; 440.
[122] *SCt* 27,1-2, citant Cantique des Cantiques 1,5.
[123] *SCt* 27,7-8, citant 1 Corinthiens 15,48.

L'homme vertueux est donc ciel et ses vertus sont des étoiles. Il est aussi « trône de sagesse » et, par conséquent, Christ se plaît à demeurer en lui. Mais, comment préparer ce ciel intérieur qui convienne à cette Gloire et qui soit assez grand pour cette Majesté[124] ?

Avant tout, il est nécessaire que le Seigneur répande l'« onction de la miséricorde » et que l'âme s'étire comme une peau imbibée d'huile; ainsi, le coeur dilaté, nous courrons sur le chemin des commandements[125].

Cependant, si l'âme ne se vide pas de tout mal et de l'esprit mondain, elle ne pourra pas s'agrandir et se dilater jusqu'à actualiser sa « capacité de Dieu ». Cette « largeur », c'est l'amour qui la donne, selon l'exhortation paulinienne qui retraduit le précepte du Seigneur : « Dilatez-vous dans la charité ». L'âme s'agrandit et s'étend spirituellement; sa grandeur se mesure à son amour[126].

La dilatation de l'âme par l'amour commence simplement avec l'amour de ceux qui l'aiment. Ainsi elle accomplit au moins cet amour « social » de base qui consiste à « donner et recevoir ». Mais une telle âme n'est pas large et grande, elle est plutôt étroite et misérable[127].

Si l'âme s'agrandit, elle pourra atteindre « avec toute liberté d'esprit » les larges frontières de la « bonté gratuite », qui embrasse dans le « sein de sa bonne volonté » tout le prochain, en l'aimant comme elle-même. Le « sein de sa charité » s'est ainsi beaucoup élargi, il embrasse tous les humains, il aime tous les

---

[124] *SCt* 27,8-9, citant Proverbes 12,23 (version de la LXX); Jean 14,23; Psaume 21,4; Éphésiens 3,17; Psaume 131,14.
[125] *SCt* 27,9, citant Psaume 118,32.
[126] *SCt* 27,9-10.
[127] *SCt* 27,10; voir Philippiens 4,15.

inconnus dont il ne recevra jamais rien et à qui il ne doit rien, excepté la dette de l'amour mutuel[128].

Mais l'âme peut encore s'étendre davantage et faire violence au royaume de la charité en occupant jusqu'à ses derniers retranchements. Dans ce but, elle doit : ouvrir les « entrailles de miséricorde » à ses ennemis, faire le bien à ceux qui la haïssent, prier pour ses persécuteurs et calomniateurs, et s'occuper à faire la paix avec ceux qui la rejettent. De cette manière, la largeur et la hauteur du ciel seront la largeur et la hauteur de l'âme. Dans ce ciel de merveilleuse largeur, de hauteur et de beauté, le Suprême, Immense et Glorieux daignera habiter et se promener à l'aise[129].

Que nous apprend ce texte important ? Que, sans grâce, sans dépouillement, sans effort vertueux, il n'y a aucune dilatation de l'amour. Nous, les êtres humains, nous avons de la valeur dans la mesure où nous aimons !

Humanisation et déshumanisation

J'expose finalement le sermon 44 sur le Cantique, qui fait également référence au précepte d'aimer son prochain comme soi-même. L'abondance des symboles peut nous désorienter, mais le message de fond est clair et attrayant.

Bernard va commenter les paroles de l'épouse : « Mon bien-aimé est pour moi une grappe de Chypre, dans les vignes d'En-Gaddi »[130]. Dans la première partie de son sermon, il expose le sens de la grappe et des vignes (1-3); dans une deuxième partie, plus longue, il interprète le sens de l'huile (4-7), pour conclure avec le sens du vin et l'union du vin et de l'huile (8).

---

[128] SCt 27,11, citant Matthieu 5,47; voir Romains 13,8. Le paragraphe se réfère à l'« amour naturel », juste ou général.

[129] Ibid., pour l'arrière-fond biblique, voir: Matthieu 5,44; 11,12; 1 Jean 3,17; Psaume 119,7.

[130] Cantique des Cantiques 1,14.

Ce qui nous intéresse maintenant, c'est l'interprétation du riche symbolisme oléagineux; plus concrètement, ce qui nous intéresse, c'est le symbole de l'huile et du baume en lien avec l'amour du prochain.

L'amour du prochain plonge ses racines dans le commandement de la Loi : « Tu aimeras ton prochain comme toi-même ». En effet, l'amour fraternel primordial jaillit des affections humaines les plus intimes et d'une certaine douceur naturelle de l'homme envers lui-même, douceur qui est inscrite en lui[131].

Cet amour du prochain produit le fruit de la miséricorde ou de la compassion, en puisant sa vigueur dans l'humidité substantielle de sa propre terre et en recevant l'inspiration de la grâce d'en-haut. De cette façon, l'homme considère qu'il ne doit pas refuser à celui qui lui est uni par la même nature ce que son âme désire naturellement; il fera cela chaque fois qu'il le pourra et que ce sera opportun, comme par un « droit d'humanité », et il le fera même avec plaisir et spontanéité. C'est qu'il y a dans la nature humaine, si le péché ne la fait pas vieillir, une substance d'agréable et singulière douceur ou miséricorde qui donne à l'homme de ressentir de la tendresse pour compatir plutôt que de la dureté pour s'indigner contre le pécheur[132].

La douceur de cette huile a toutefois été perdue à cause du péché de l'homme, et la nature humaine ne peut plus récupérer cette huile par elle-même. C'est pourquoi l'homme veut posséder seul ce qui se possède avec plus de douceur en commun : « Ce qui ne diminue pas lorsqu'on le met en commun, diminue lorsqu'on le divise, car chacun le possède alors pour soi seul ». À vouloir satisfaire nos désirs tout seuls, « nous nous privons de la singulière douceur du bien social et commun »; « les préoccupations et les inquiétudes annulent la suave douceur de la grâce sociale »; « le coeur est desséché, on méprise tout le monde, sauf

---

[131]   *SCt* 44,4.

[132]   *Ibid.*, dans l'arrière-fond biblique on trouve Galates 6,1; voir *SCt* 44,2.

soi-même, et on est sans amour ». La mouche morte a fait perdre la douceur de l'huile; les prostituées ont fait dilapider l'héritage commun. Que symbolisent la mouche et les prostituées ? Ils sont le symbole des concupiscences de la chair[133].

De cette façon, comme la nature humaine est davantage inclinée à l'indignation qu'à la compassion, « l'homme se dépouille de l'homme, et quand il est dans le besoin, il veut être aidé des hommes, mais il ne vient pas en aide aux autres quand ceux-ci ont besoin de lui ». L'homme pécheur juge et méprise les autres hommes pécheurs, mais il n'entre pas en lui-même pour vérifier sa situation. Et le pire, c'est que la nature humaine ne peut pas d'elle-même porter remède à cette situation; elle ne peut pas d'elle-même récupérer « l'huile de la mansuétude innée », qui a été irrémédiablement perdue. Mais ce qui n'est pas possible à la nature, la grâce peut l'obtenir. Quand l'Esprit a compassion d'un homme et qu'il le baigne à nouveau dans sa douceur, cet homme « redevient homme aussitôt », et il reçoit même des biens supérieurs[134].

Dans la source baptismale, le chevreau devient agneau grâce à l'onction abondante de la miséricorde. Ce n'est pas seulement de l'huile, mais du baume que l'on reçoit ici. Là où la faute a abondé, la grâce a surabondé. L'homme redevient homme :
- il dépose la férocité de l'esprit mondain;
- il récupère plus abondamment la grâce de l'onction de la douceur humaine;
- il assume, à partir de sa propre humanité, le motif de la compassion envers les autres, ainsi que la manière de l'exercer;
- il ressent de l'horreur, comme devant un sacrifice cruel, de faire aux autres ce qu'il ne veut pas lui-même souffrir, et de ne pas faire aux autres ce qu'il veut pour lui[135].

---

[133] *SCt* 44,5, pour l'arrière-fond biblique voir: Siracide 18,30; Romains 1,29-31; 2 Timothée 3,2-4.
[134] *SCt* 44,6.
[135] *SCt* 44,6-7, pour l'arrière-plan biblique voir: Matthieu 25,40.45; Romains 5,20; Tobie 4,16; Matthieu 7,12.

Je laisse ce thème ici. Il ne resterait plus qu'à mettre cette huile de douceur et d'amour fraternel en relation avec le vin du zèle de l'amour divin. Nous terminerions ainsi en constatant que « le zèle de la justice est pour moi l'amour de mon bien-aimé qui se trouve dans les affections de la compassion », de même que « la grappe de Chypre (Jésus) est pour moi mon bien-aimé dans les vignes d'En-Gaddi (l'Église) »[136].

Ce sermon rempli d'onction nous offre une leçon de grande valeur. Pour être humain, il ne suffit pas de faire le bien et de partager des biens; il est aussi nécessaire d'avoir de bons sentiments envers le prochain, nous montrant doux et agréables, tendres et miséricordieux envers lui. Nous pouvons maintenant passer au second groupe ou noyau de textes.

2.2 Béatitude de la miséricorde.

La miséricorde est pour Bernard une expression privilégiée de l'amour du prochain. S'aimer soi-même et aimer son prochain comme soi-même sont la même chose qu'avoir miséricorde de soi, en faisant ainsi plaisir à Dieu, et être miséricordieux envers les autres. C'est cela qui purifie le coeur pour qu'il puisse voir Dieu[137].

On peut encore ajouter quelque chose de plus : « Nous sommes transformés dans la mesure où nous sommes conformés (...) Soyez miséricordieux, dit le Seigneur, comme votre Père est miséricordieux. Voilà la forme qu'il désire contempler quand il dit à l'Église : Laisse-moi voir ton visage, forme de tendresse et de douceur »[138].

---

[136]   *SCt* 44,8. Voir aussi *SCt* 60,9-10, « doux et fervents »; et *Pasc* 2,4-6, affection de compassion, zèle de rectitude et discrétion.

[137]   3 *Sent* 3; voir *NatV* 5,1.

[138]   *SCt* 62,5, citant Luc 6,36 et Cantique des Cantiques 2,14.

Mais qu'est-ce que la miséricorde pour Bernard ? Un pur sentiment, ou quelque chose de plus ? Les textes qui suivent nous offriront une réponse.

Parfum de miséricorde

Sans aucunement laisser de côté le symbolisme de l'huile, nous passons maintenant à la cosmétique. Je commence avec le sermon 12 sur le Cantique. Déjà dans le sermon 9, Bernard a amorcé l'interprétation des paroles : « Tes seins sont meilleurs que le vin savoureux et ta bonne odeur meilleure que les parfums les plus exquis ». Tout ce sermon, et une partie du dixième[139], sont consacrés aux seins. Au sermon 10 commence l'exposition sur les parfums : d'abord celui de la contrition, et ensuite celui de la dévotion. Nous arrivons ainsi au sermon 12, consacré au meilleur des trois : le parfum de la miséricorde.

Laissant de côté les relations qu'il y a entre ces trois parfums[140], nous allons tout simplement nous demander ce qu'est ce dernier parfum et quels sont ceux qui le possèdent et le répandent[141].

Le parfum de la miséricorde, ou compassion, est élaboré avec des composantes méprisables : les besoins des pauvres, les angoisses des opprimés, les troubles de ceux qui sont tristes, les fautes des délinquants et tout genre de misères, incluant celles des ennemis.

Cependant ces composantes ne suffisent pas d'elles-mêmes. Il faut que toutes les misères soient traversées d'un regard de profonde tendresse; il faut que ces parfums soient imprégnés du baume de la miséricorde et cuisinés avec le feu de la charité.

---

[139] *SCt* 10,1-3.
[140] *SCt* 12,10; voir 10,4.
[141] *SCt* 12,1-5.

C'est seulement ainsi que nous aurons un parfum digne des seins de l'épouse et agréable aux sens de l'Époux; c'est seulement ainsi que ce parfum aura un pouvoir curatif : « Bienheureux les miséricordieux, car ils obtiendront miséricorde »[142].

En effet, celui qui possédera ce parfum, qui est le troisième et le meilleur, sera heureux. Heureux celui-là dont les mains distillent cette liqueur qui répand une odeur si douce[143]. Qui est cet homme heureux ?

- Celui qui a pitié et prête[144].
- Celui qui est enclin à la compassion.
- Celui qui est toujours prêt à aider.
- Celui qui se juge plus heureux quand il donne que quand il reçoit[145].
- Celui qui considère comme siens les besoins des autres.
- Celui qui est enclin au pardon, lent à la colère et incapable de se venger.

« Heureux es-tu, qui que tu sois, si ces sentiments envahissent ton âme, trempée de la rosée de la miséricorde, remplie de compassion jusqu'à ce que ses entrailles éclatent, se faisant toute à tous, se méprisant elle-même comme un vase inutile, allant à la rencontre des autres pour les secourir immédiatement en toute circonstance, et, en un mot, morte à elle-même et vivante pour tous »[146].

Heureux, oui, heureux, car les contrariétés ne sécheront pas ton parfum, la force de la persécution ne l'absorbera pas, et Dieu se souviendra de toutes tes offrandes et ton sacrifice lui sera agréable[147].

---

[142] *SCt* 12,1, citant Matthieu 5,7.
[143] Cantique des Cantiques 5,5.
[144] Psaume 111,5.
[145] Actes des Apôtres 20,35.
[146] *SCt* 12,1, citant 1 Corinthiens 9,22; Psaume 30,13.
[147] *SCt* 12,1, citant Psaume 19,4.

Est-il possible de connaître le nom de quelques-uns de ces bienheureux qui possèdent ce parfum très précieux et le répandent ? Bien sûr :

- Paul : mère qui engendre et alimente plusieurs membres du Christ[148].
- Job : qui a parfumé la terre de ses bonnes oeuvres[149].
- Joseph : qui, avec des larmes de grâce, a répandu son arôme sur ceux qui l'avaient vendu[150].
- Samuel : qui, fondant en son intérieur par le feu de l'amour, a pleuré pour Saül avec des yeux de miséricorde[151].
- Moïse : qui, oint de miséricorde comme une mère, et plein d'une affection paternelle, n'était heureux qu'avec le bonheur de ceux qu'il avait engendrés[152].
- David : qui a pleuré avec grande bonté la mort de celui qui désirait tant le tuer...[153].

Tous sont des hommes. Il n'y en a qu'un seul qui brille par ses oeuvres. Deux autres sont profondément maternels. Et trois sont touchés jusqu'aux larmes.

Est-il possible d'allonger la liste de ceux qui possèdent et diffusent ce parfum ? Une fois de plus, oui. Nous pouvons faire la liste de ceux qui mettent en pratique des attitudes bienveillantes, bienfaisantes et humanitaires; ceux qui sont prêts à mettre en commun leurs grâces; ceux qui se considèrent les débiteurs de leurs amis et de leurs ennemis, des sages et des ignorants; ceux qui, tout en étant utiles à tous, demeurent humbles en tout temps

---

[148] *SCt* 12,2; voir Galates 4,19.
[149] *SCt* 12,3; voir Job 29,15-17; 31.
[150] *SCt* 12,4; voir Genèse 42,7; 43,30.
[151] *Ibid.*; voir 1 Samuel 16,1-2.
[152] *Ibid.*; voir Nombres 12,3; Psaume 119,7.
[153] *SCt* 12,5; voir 2 Rois 1,11-12; 19,4.

et en toutes circonstances et sont aimés de Dieu et des hommes[154].

« Toi aussi, si de bon gré tu fais participer au don que tu as reçu d'en-haut ceux qui vivent avec toi, si tu te montres parmi nous toujours serviable, affectueux, reconnaissant, aimable et simple (...) N'importe qui d'entre vous qui non seulement supporte les faiblesses physiques et morales de ses frères, mais qui de plus les aide de ses services, les conforte avec ses paroles, les oriente avec ses conseils ou, si la discipline monastique l'empê-che de faire tout cela, n'arrête pas de consoler le faible au moins par sa prière[155]. Ce frère, au sein de sa communauté, est comme un baume sur la bouche. On le montre du doigt et tous disent de lui : "Voici celui qui aime ses frères" »[156].

« Toi aussi, si tu te revêts d'une profonde tendresse et si tu deviens généreux et bienveillant, non seulement avec tes parents et ta famille, avec ceux qui t'ont fait du bien, ou dont tu espères qu'ils t'en feront - ce que font aussi les païens -, mais avec tous, travaillant pour leur bien, selon le conseil de saint Paul, sans jamais nier ou refuser à tes ennemis ton service humanitaire, corporel et spirituel à cause de Dieu »[157]; toi aussi, dis-je, tu posséderas ce parfum.

Finalement, cet excellent parfum se fabrique en regardant les miséreux, il se répand sur tout le Corps du Christ, et il appartient à l'épouse qui cherche comment se conformer à la volonté de l'Époux : « C'est la miséricorde que je veux et non le sacrifice »[158].

---

[154] *Ibid.*, citant Romains 1,16; Siracide 45,1.

[155] En ce qui concerne le conseil et l'aide comme un « droit de vie fraternelle et de société humaine », voir *AdvA* 3,5.

[156] *SCt* 12,5, citant la Règle de saint Benoît 72,4; 2 Maccabées 15,14.

[157] *SCt* 12,7, citant Colossiens 3,12; Galates 6,10.

[158] *SCt* 12,10, citant Matthieu 9,13.

L'épouse est l'Église, ainsi que chaque âme en particulier, car nous faisons partie de l'Église : chacun participe à ce que nous possédons ensemble dans sa plénitude totale. C'est pourquoi nous pouvons rendre grâce en disant : « Seigneur Jésus, nous te rendons grâce parce que tu as daigné nous agréger à ton Église bien-aimée, non seulement pour être ses fidèles, mais aussi pour nous unir à toi dans un embrassement joyeux, chaste et éternel, contemplant à visage découvert la gloire que tu partages avec le Père et l'Esprit-Saint pour les siècles des siècles. Amen »[159].

Nous nous étions auparavant demandé : quel est ce parfum et qui sont ceux qui le possèdent et le répandent ? Nous pouvons conclure en répondant d'une manière brève : c'est le parfum de la miséricorde affective et effective; les bienfaisants, les bienveillants et les doux le possèdent. Cette miséricorde nous unit d'une manière sponsale au Corps du Christ et à l'Époux lui-même.

Des Modèles et une Médiatrice

Le modèle par excellence de la miséricorde humaine et chrétienne, c'est le Christ. Par expérience, il a appris dans le temps ce qu'il savait déjà de toute éternité. Il a appris et il a enseigné, par sa parole et par ses oeuvres, cette miséricorde qui est « mère de la misère »[160].

À dire vrai, ceux qui possèdent et qui diffusent le parfum de la miséricorde peuvent également être considérés comme des exemples de miséricorde. Je désire toutefois présenter maintenant deux fidèles disciples du Maître qui sont des incarnations éloquentes et exemplaires de sa miséricorde.

---

[159] *SCt* 12,11.
[160] *Hum* 12; voir 7-12.

Le premier modèle est Bernard en personne. Ouvrons la lettre 70 adressée à Guy, l'abbé de Trois Fontaines. Le thème de la lettre est celui-ci : la miséricorde devant la misérable situation d'un moine miséreux. L'épitre nous offre à la fois un enseignement et un exemple.

Bien que le moine en question puisse demeurer dans sa misère, la miséricorde ne demeurera pas sans fruit pour celui qui fait miséricorde. Non pas que la miséricorde naisse de motifs intéressés : tout au contraire, c'est la misère et la souffrance du prochain qui l'infusent dans le coeur. La miséricorde est une affection qui n'est pas réglée par la volonté ni assujettie à la raison. Par elle-même elle tire les esprits miséricordieux hors d'eux-mêmes avec un élan irrésistible de compassion. Cet élan est si fort que, même si c'était un péché que de ressentir de la miséricorde, Bernard ne pourrait s'empêcher de compatir, même s'il le voulait[161].

Par conséquent, de même que Bernard l'a fait dans une autre circonstance semblable, Guy doit prendre tous les moyens pour gagner ce moine, incluant la rétractation de ce qu'il pourrait avoir dit de lui devant le conseil des frères; de cette façon, l'humilité du supérieur sauvera le sujet. Cette rétractation ne déplaira pas au Dieu juste et miséricordieux, du fait que, au jugement, la miséricorde sera exaltée au-dessus de tout[162].

Le second modèle, et plus qu'un modèle, c'est Marie. Bernard de Clairvaux peut parler de la miséricorde, car il a fait la profonde expérience d'avoir été miséricordieusement secouru dans ses besoins et ses misères[163]. Bernard a connu, comme peu l'ont connue, celle qui est la Mère de la miséricorde et le

---

[161] *Ep* 12: « La vraie miséricorde ne juge pas mais vient en aide, elle ne s'appuie pas sur l'analyse, elle se réjouit de la circonstance qui lui est offerte; lorsque le sentiment est fort, on n'attend pas après les raisonnements ».

[162] Jacques 2,13.

[163] *Assp* 4,8.

fidèle reflet de la largeur et de la longueur, de la hauteur et de la profondeur de la miséricorde du Christ[164].

La charité de Marie est si puissante et compatissante qu'elle déborde, sans limites, en sentiment de compassion et en gestes effectifs d'entraide[165]. C'est pourquoi, non seulement elle est modèle de miséricorde, mais elle est aussi miséricordieuse « médiatrice qui élève vers le Médiateur »[166]. Notre âme assoiffée peut courir vers cette source et notre misère peut recourir avec insistance à cette montagne de miséricorde[167]. Elle ouvre à tous le sein de sa miséricorde pour que tous reçoivent de sa plénitude[168]. Dans ce but, prions :

« Mère de miséricorde, la lune se prosterne à tes pieds, confiant dans les plus purs sentiments de ton âme. Elle adresse ses ferventes prières à la médiatrice que tu es devant le Soleil de Justice. Par ta lumière, elle veut arriver à la lumière; par ton intercession, elle désire atteindre la grâce du Soleil. Car il t'a aimée plus que toute autre créature, il t'a revêtue de la plus riche robe de gloire et il a placé sur ta tête la plus belle des couronnes. Oui, tu es pleine de grâce, imprégnée de la rosée du ciel, appuyée sur ton bien-aimé et devenue pur charme. Ô Dame, nourris aujourd'hui tes pauvres; que les petits chiens mangent les miettes. Avec l'eau de ta cruche inépuisable, donne à boire au serviteur d'Abraham ainsi qu'aux chameaux. Car tu es cette jeune fille choisie et préparée pour le Fils du Très-Haut, qui est le Dieu souverain, béni pour toujours. Amen »[169].

---

[164] *Ibid.*, en référence à Éphésiens 3,18.
[165] *Ibid.*
[166] *AssO* 2; voir *PP* 1,1.
[167] *Assp* 4,9.
[168] *AssO* 2.
[169] *AssO* 15.

Bienheureux les miséricordieux

Dans les textes présentés ci-haut se trouvait explicitement et implicitement présente la béatitude des miséricordieux. Nous allons maintenant la considérer. Le *Traité aux clercs sur la conversion* nous en offre l'occasion. Dans une prédication aux clercs de Paris, Bernard commente les béatitudes. C'est la cinquième d'entre elles qui nous intéresse particulièrement.

Qui implore miséricorde obtient miséricorde, s'il est miséricordieux. Le premier degré de celle-ci, c'est la compassion envers soi-même, avec les larmes de la pénitence qui conduisent à la réconciliation avec soi-même.

Une fois restaurée la paix dans sa propre maison, la miséricorde se dilatera en direction du prochain, ce qui la rendra digne d'un baiser de réconciliation et de la paix avec Dieu. Quelle est cette miséricorde envers le prochain ? Elle consiste en ceci :

- Pardonner les offenses reçues et pouvoir ainsi prier le Père en vérité : pardonne-nous nos péchés.
- Réparer les fraudes commises et donner miséricordieusement le surplus aux pauvres, recevant ainsi la miséricorde divine[170].
- Donner l'aumône, en réalité ou par le désir, demeurant ainsi purifié de tout péché.

De cette manière, on pourra écouter Dieu déclarer : « Bienheureux les coeurs purs, car ils verront Dieu »[171].

Les clercs de Paris ont compris, sans aucun doute, que la miséricorde implique : sentiments et bonnes oeuvres, au plan spirituel comme au plan corporel.

---

[170] Pour la miséricorde de Zachée, voir *OS* 1,12.

[171] Pour tout ce qui précède, voir *Conv* 29; pour l'arrière-plan biblique, voir Luc 6,37; 11,41; 18,22; 19,18; Isaïe 1,18; Matthieu 5,8.

Dans ce texte, et dans divers autres textes où Bernard commente les béatitudes[172], celles-ci deviennent un itinéraire spirituel vers Dieu et, dans cet itinéraire, la miséricorde occupe un endroit crucial. De là vient la terrible erreur de certaines béatitudes étrangères à la vie de notre modèle, le Christ Jésus. Dans ce cas, la « miséricorde ne mérite pas miséricorde », et elle ne purifie pas le coeur[173].

Aumône miséricordieuse

À une date incertaine, Bernard écrit une lettre[174] aux chanoines de Châtillon, les exhortant à faire l'aumône dans un moment de famine et de disette. Cette brève lettre est une précieuse interprétation de la cinquième béatitude comme clé des oeuvres bonnes et des dons matériels, sans oublier toutefois les bienfaits spirituels.

L'abbé de Clairvaux rappelle avant tout la parole divine accompagnée d'une promesse : « Bienheureux les miséricordieux, car ils obtiendront miséricorde »[175]; et aussi : « Bienheureux celui qui pense au nécessiteux et au pauvre »[176]. De même en ce qui concerne le jeûne que Dieu aime : « Donne un vêtement à celui qui est nu et ne méprise pas ta propre chair »[177] et les paroles de Job : « Tu visiteras ton semblable et tu ne pécheras pas »[178].

Pourquoi donc rappeler ces paroles divines ? Pour attirer l'attention sur la pénurie et la faim « des vagabonds et des victimes de la disette », car si ceux-ci en souffrent ordinairement,

---

[172] Voir 3 *Sent* 2; 3; 126; *Par* 7; *OS* 1.
[173] *AdvA* 4,5-6. En ce qui touche une « miséricorde cruelle » dans le milieu monastique, voir *Apo* 16-17.
[174] *Ep* 451.
[175] Matthieu 5,7.
[176] Psaume 40,2 « Car le Seigneur le délivrera au jour de malheur ».
[177] Isaïe 58,7-8.
[178] Job 5,24 (Vulgate).

leur situation s'est encore empirée. En conséquence : « s'il y a en vous des entrailles de miséricorde, s'il y a en vous de la compassion pour la misère, qu'elles en donnent des preuves ». D'autant plus que les misérables et les méprisés sont « vos os et votre chair ». Il n'est pas juste d'éprouver à leur égard des sentiments différents de ceux qu'ils espèrent trouver en nous : ils doivent recevoir le bienfait des biens matériels reçus, ou de la parole publique et privée en leur faveur, pour que d'autres leur viennent en aide.

Humble miséricorde

Je passe maintenant à un commentaire particulier des béatitudes qui mérite une attention spéciale. Dans la première partie du *Traité sur les degrés de l'humilité et de l'orgueil*, Bernard nous offre une exposition ascendante qui va de la vérité à la charité (1-23). Après avoir décrit le fruit qui nous attend à la fin de la montée (1-5), il parle des degrés de la vérité (6-23). En voici la présentation : le motif de son exposition (6; cf.15), le nombre des degrés (6), leur ordre (6-17), l'oeuvre purificatrice qu'ils réalisent (18-19), et l'oeuvre de la Trinité en chacun d'eux (20-23).

Notre intérêt se concentre sur le deuxième degré : la recherche de la vérité dans le prochain, en compatissant à ses souffrances. Évidemment, ce degré est en relation étroite avec le premier et le troisième, c'est-à-dire la recherche de la vérité en soi-même et la recherche de la vérité en Dieu[179].

Le premier degré, qui fait référence à la connaissance de soi et au jugement sur sa propre vérité, précède le deuxième de la même manière que la béatitude des doux précède celle des miséricordieux. En effet, celui qui se connaît et se méprise lui-même pleurera comme un pénitent, fera satisfaction avec justice,

---

[179] *Hum* 6.

apprendra que tout est insuffisant sans la miséricorde divine, et afin obtenir celle-ci, il sera miséricordieux avec les autres, et, s'il doit les corriger, il le fera avec douceur[180]. C'est ce qu'enseigne aussi l'expérience : « celui qui est en bonne santé ne ressent pas ce que ressent le malade, et le rassasié ne ressent pas ce que ressent celui qui a faim. Le malade et l'affamé sont ceux qui peuvent le mieux avoir compassion des malades et des affamés parce qu'ils vivent la même chose (...) Et personne ne ressent si vivement la misère du frère que celui qui assume sa propre misère »[181].

Étant donnée l'insuffisance de notre effort, ce premier degré est l'oeuvre du Fils de Dieu. En tant que Maître, il enseigne la vérité aux disciples de l'humilité; il l'enseigne par sa parole et son exemple. La Vérité enseigne en Maître la vérité. Le Christ, Parole et Sagesse de Dieu, restaure dans l'école de l'humilité la raison altérée pour que naisse à nouveau l'humilité[182].

Les humbles sont miséricordieux. Ils sont capables d'étendre leurs affections vers les autres, en se conformant à eux par la charité, de sorte qu'ils « ressentent comme leurs les biens et les malheurs » du prochain, qu'ils se réjouissent avec ceux qui sont dans la joie et pleurent avec ceux qui pleurent[183]. Ceux qui arrivent à ce deuxième degré de miséricordieuse vérité « devinent les indigences des autres à partir de leurs propres indigences et, à cause de ce qu'ils souffrent, ils apprennent à avoir compassion de ceux qui souffrent »[184].

Une fois de plus, l'oeuvre de la grâce, dans la personne de l'Esprit, complète notre oeuvre. Les oeuvres de miséricorde ne suffisent pas par elles-mêmes, et pas davantage le sentiment de

---

[180] *Hum* 13; 18-19.
[181] *Hum* 6.
[182] *Hum* 20-21; voir 7-12.
[183] *Hum* 6; voir Romains 12,15.
[184] *Hum* 18.

compassion. L'Esprit-Saint infuse la charité aux humbles et il leur apprend ainsi la compassion; il en fait ses amis et il les console comme un Ami et un Frère. La volonté, imprégnée de l'onction du ciel, se dilate comme un cuir trempé et s'étend par l'amour jusqu'aux ennemis. C'est de cette union de l'Esprit et de la volonté que naît la charité[185].

De même qu'il a appelé saint Paul, le Fils nous appelle par l'humilité au premier ciel, l'Esprit[186] nous réunit dans le deuxième par la charité, et le Père nous élève au troisième par la contemplation[187].

Ce *Traité* du jeune abbé Bernard établit avec fermeté la relation qu'il y a entre la douceur envers soi-même et la miséricorde envers le prochain. Celui qui ne s'accepte pas lui-même, c'est avec une très grande difficulté qu'il acceptera les autres. Qui a ainsi cherché et embrassé la vérité, sera embrassé dans l'Esprit-Saint par le Père de la Vérité. « L'homme doux peut espérer le bonheur et il est dès à présent un modèle exemplaire de vie sociale »[188].

Au début de cette section sur la miséricorde, nous nous étions demandé : s'agit-il simplement d'un sentiment, ou de quelque chose de plus ? Rendus à ce point de l'exposé, nous pourrions formuler ainsi la question : s'agit-il simplement de bonnes oeuvres, ou de quelque chose de plus ? À la lumière des textes présentés, la réponse évidente est celle-ci : la miséricorde est affection et activité (*affectus* et *effectus*), sentiment et oeuvre, bon sentir et bon agir. Grâce à elle, nous pouvons être bienveillants et doux, bienfaisants et dignes d'un même sentir et d'un même agir de la part de Dieu.

---

[185] *Hum* 19-21.
[186] *Hum* 21.
[187] *Hum* 22-23.
[188] *SCt* 70,6; voir *NatV* 5,4-5.

2.3 L'école de la charité

Avec le dernier texte que nous avons présenté et qui s'adresse aux moines, le *Traité sur les degrés de l'humilité et de l'orgueil*, nous avons déjà franchi le seuil de la porte et nous sommes entrés dans l'école de la charité.

Quand Benoît de Nursie érige son « école du service divin », il poursuit un objectif très clair et très précis : la correction des vices, la sauvegarde de la charité, le progrès dans la vie monastique et l'union avec le Christ dans son Royaume[189].

Bernard de Clairvaux, de son côté, sait très bien que toutes les règles, même celle de saint Benoît, ont été instituées pour « faire grandir et sauvegarder la charité »[190]. Il n'est donc pas étonnant que l'école du service divin soit pour lui et pour les cisterciens une école de charité. Voici quelques textes clés, et un peu plus, sur ce point.

Maître et disciples

Le sermon 121 *De Diversis* est la porte d'entrée la plus appropriée pour pénétrer dans cette école. Christ est le Maître, et nous, les moines, nous sommes disciples. L'enseignement est double : l'unique et véritable Maître nous apprend l'amour, et ses ministres nous éduquent dans la crainte.

L'interprétation du sens moral des noces de Cana sert à préciser le thème : quand l'amour se refroidit (manque de vin), les ministres du Christ remplissent les esprits avec l'eau de la crainte du châtiment et, de cette façon, les désirs de la chair s'éteignent et l'âme se purifie. Il faut ensuite s'approcher de celui qui peut

---

189 Règle de saint Benoît, Prologue 45-49.
190 *Pre* 5.

changer l'eau en vin, la crainte du châtiment en crainte chaste et
pure. La crainte pure est la crainte d'offenser le Maître; ceux qui
craignent ainsi sont ouverts et préparés à écouter la doctrine du
Christ sur l'amour.

Le Maître nous dit : « Voici mon commandement : que vous
vous aimiez les uns les autres », « C'est à ceci que tous connaî-
tront que vous êtes mes disciples, si vous vous aimez les uns les
autres »[191]. Ainsi, afin de prouver que nous sommes les disciples de la Vérité, « aimons-nous les uns les autres »[192]. Et veil-
lons sur cet amour avec une triple sollicitude, car Dieu est
Amour[193]. Avec beaucoup de soin, voyons à ce que cet amour :

- naisse dans les autres, par nos oeuvres de charité, parce
  que, de cette façon, Dieu qui est Amour naîtra en eux;
- grandisse lorsque nous secourons le nécessiteux, que nous
  nous offrons à rendre service à celui qui le nous demande,
  et que nous ouvrons notre coeur à notre ami;
- soit conservé lorsque nous accueillons les désirs de nos
  amis, en parlant avec eux et en leur venant en aide même
  dans ce qui n'est pas nécessaire.

Cet amour peut aussi être conservé et augmenté si nous pré-
sentons un visage aimable, si nous parlons avec douceur et si
nous agissons avec joie. Le visage et la parole manifestent
l'amour, et les bonnes oeuvres accomplies joyeusement le confir-
ment, parce que l'amour, ce sont les oeuvres[194].

Que nous apprend le Maître, le Christ, à son école monastique de l'amour ? Il nous apprend l'amour du frère par des oeuvres gratuites et joyeuses et des relations interpersonnelles

---

[191]   Jean 15,12; 13,35.

[192]   1 Jean 4,7.

[193]   1 Jean 4,16.

[194]   Pour ces trois formes de l'amour du prochain, voir *Div* 96,6; 1 *Sent*
        22.

amicales et désintéressées. Le disciple qui aime ainsi aime son Maître; celui qui n'aime pas ainsi, l'offense[195].

Paradis du cloître

Passons au sermon 42 de la même collection *De Diversis*. L'école s'est convertie en paradis, mais l'enseignement et le vécu sont les mêmes. Bernard commente la parabole des deniers : « Faites des affaires, jusqu'à mon retour »[196]. Les négoces sont au nombre de cinq, de même que les régions où ils doivent se réaliser[197]. Ce qui nous intéresse, ce sont les négoces qui se réalisent dans des régions de ce monde-ci[198]. Le premier négoce a lieu dans la « région de la dissemblance » et le bon négociant acquiert le mépris et la fuite du monde.[199]

Nous avons déjà là le négociant qui se trouve dans la région du paradis claustral. Mais quelle est cette région et quelles sont les marchandises avec lesquelles il faut négocier[200] ?

Le paradis du cloître est une région protégée par le mur de la discipline et il devient ainsi la maison ou le campement de Dieu : un lieu redoutable mais aussi la porte du ciel[201].

---

[195] De même que l'unique Médiateur inclut d'autres médiateurs, ainsi l'unique Maître fait participer à son magistère. Pierre et Paul, par exemple, sont des médiateurs et des maîtres qui nous enseignent à bien vivre; à nous les moines, ils nous enseignent à vivre « socialement » : en aimant et en étant aimés, avec douceur et affabilité, et avec une très grande patience devant les infirmités physiques et morales des frères (*PP* 1,1.3-4; *Div* 65,3).

[196] Luc 19,13.

[197] *Div* 42,2-7.

[198] *Div* 42,2-4.

[199] *Div* 42,2-3.

[200] *Div* 42,4.

[201] Genèse 28,17; 32,2. Selon 2 *Sent* 41, la « concorde dans l'amour » est porte du ciel.

Le paradis claustral est un lieu où les hommes vivent unis dans une même maison et selon des coutumes identiques : c'est un lieu de douceur et de délices où les frères, unis, partagent la même vie[202].

Ici, les marchandises sont abondantes : ce sont les vertus de ceux qui habitent ensemble dans la maison du Seigneur des Vertus[203]. Avec ces marchandises, se réalisent les meilleures affaires :

- La componction à cause du péché et l'exultation dans la louange divine.
- Le service et l'instruction des autres.
- La prière et la lecture.
- La miséricorde et la pénitence pour le péché.
- L'amour enflammé et le progrès dans l'humilité.
- L'humilité dans la prospérité et la force dans l'adversité.
- L'effort ascétique et le repos contemplatif.

Le cloître est un paradis parce que tous y vivent unis comme des frères, joyeux et heureux dans les mêmes coutumes. Il y existe un nombre parfait de marchandises et la miséricorde occupe une place centrale parmi elles.

S'il fait des affaires dans cette région et s'il acquiert la « forme de vie »[204] qui s'y trouve, le bon commerçant pourra parcourir les autres régions « avec les yeux de l'esprit ». Dans la région de l'expiation, il fera l'acquisition de l'« amour compatissant »; dans la région de l'enfer, la haïne du péché; et dans la région située au-dessus des cieux, l'amour de Dieu[205].

---

202   Psaume 67,7; 132,1.
203   Psaume 23,10 (Vulgate).
204   *Div* 42,4.
205   *Div* 42,5-7. D'après 3 *Sent* 91, le paradis claustral ou région australe est la « vie sociale ».

Cité et armée

Je m'arrête un moment au *Sermon varié pour l'Avent*. Il fait référence à trois lieux inférieurs par lesquels il faudrait passer avant de monter au ciel avec le Christ. En réalité, celui qui arrive à l'enfer de la « consumation » ne peut déjà plus aller plus loin, car il y demeure éternellement. L'enfer de l'« expiation » est, lui, un lieu de passage où la peine est pardonnée et la faute purifiée[206]. Le troisième enfer est celui de l'« affliction »; c'est le lieu de la pauvreté, mais si on embrasse celle-ci volontairement, alors tout change[207].

C'est dans l'enfer de la pauvreté volontaire que se trouve cette cité de Dieu qu'est la vie monastique. C'est une cité belle et nuptiale, délicate, précieuse et « redoutable comme une armée rangée en bataille ». Ce bon ordre, c'est le « consensus » qui le procure et le consensus est fruit de la « concorde »[208].

L'armée est formée de ceux qui vivent « dans la concorde et l'unanimité dans la maison du Seigneur, unis au Seigneur et entre eux par le lien de la charité ». L'ennemi ne peut rien contre cette armée car l'« unité de la multitude » le terrorise; à les voir ainsi dans la concorde, il sait qu'ils sont dans les mains de Dieu[209].

Quel est le secret de cette cité fortement assise et inexpugnable ? Ses habitants s'efforcent de « maintenir l'unité de l'esprit dans le lien de la paix »[210], et même les démons les reconnaissent, car ils s'aiment les uns les autres[211].

Qu'il s'agisse d'une école, d'un paradis, d'une cité ou d'une armée, la réalité qui donne la vie est toujours la même : l'amour

---

[206] *AdvV* 3.

[207] *AdvV* 4.

[208] *AdvV* 5, citant Cantique des Cantiques 6,3.

[209] *Ibid.*; voir Colossiens 3,14; Actes des Apôtres 4,32.

[210] Éphésiens 4,3.

[211] Jean 13,15.

fraternel qui empêche que nous soyons séparés de l'amour de Dieu[212].

Cellier et parfum

Nous continuons maintenant avec le *Sermon 23 sur le Cantique*[213]. Bernard y commente les paroles : « Le Roi m'a introduite dans ses celliers »[214]. Attirées par l'Époux, l'épouse et ses compagnes courent à l'odeur de ses parfums[215], et ces parfums proviennent des celliers. Qui sont ceux qui courent ? Les « âmes à l'esprit fervent »; celui qui aime avec plus de ferveur court plus rapidement et arrive plus tôt[216]. C'est l'épouse qui est la première à arriver et à entrer et, même si elle entre seule, c'est pour en faire bénéficier les autres[217].

Comme le contexte du texte biblique parle aussi du jardin et de la chambre à coucher[218], notre interprète unit les trois réalités pour une meilleure compréhension de chacune. De cette façon, il interprétera le jardin en son sens historique, les celliers selon le sens moral et la chambre dans son sens contemplatif. C'est précisément dans ces sens différents de l'Écriture, que « l'âme assoiffée de Dieu » le cherche et le trouve[219]. Ce qui nous concerne ici, ce sont les celliers et leur sens moral, et en particulier le second cellier ou l'intermédiaire[220].

Notons tout d'abord que dans ces trois celliers la grâce abonde et qu'on y entre aussi par la grâce, c'est-à-dire l'amour du

---

212   *AdvV* 5, citant Romains 8,35.
213   Voir *Div* 92; 3 *Sent* 123.
214   Cantique des Cantiques 1,4.
215   Cantique des Cantiques 1,3-4.
216   *SCt* 23,1; voir 64,4; Romains 12,11.
217   *SCt* 23,2.
218   Cantique des Cantiques 5,1; 3,4.
219   *SCt* 23,3.
220   *SCt* 23,5-8.

prochain par lequel la loi est déjà accomplie, bien que dans le troisième cellier, on expérimente une plus grande plénitude de grâce et d'amour[221].

Le premier cellier s'appelle cellier des arômes ou de la discipline, car il embaume et guérit. Ici on apprend à vivre en inférieur ou en disciple, dans la soumission à un autre[222].

Cela est nécessaire à cause de la dépravation de la nature. Bien que cette nature soit la même en tout homme, l'orgueil rend insensible à cette égalité, suscite des disputes pour la première place, éveille des désirs de prééminence et de vaine gloire, conduit à l'envie et aux rivalités mutuelles[223].

La volonté obstinée ou propre[224] a besoin de la discipline pour retrouver la santé : la conduite déréglée doit se soumettre au joug des lois fermes et tenaces des anciens. L'humiliation et l'obéissance permettront de retrouver la bonté naturelle perdue à cause de l'orgueil[225]. Comme la force et l'odeur des ingrédients s'obtiennent par la violence des coups, de même la rigueur du magistère et la sévérité de la discipline extraient la bonté naturelle des habitudes honnêtes[226].

C'est de cette façon, et pas d'une autre, que l'on passe au cellier des parfums ou de la nature[227]. Ici, on vit comme des égaux ou des compagnons avec les autres, non plus à cause de la crainte de la discipline, mais par affection naturelle. Ici :
- On vit en paix, unis socialement à tous les compagnons dans la même nature.

---

[221] *SCt* 23,5-7, citant Romains 13,8-10.
[222] *SCt* 23,5-6.
[223] *SCt* 23,6, citant Galates 5,26.
[224] Voir *Div* 92,2.
[225] *SCt* 23,6.
[226] *SCt* 23,7.
[227] *SCt* 23,5-6.

- On expérimente la douceur et le délice de vivre ensemble, unis comme des frères. L'expérience de cette union fait que l'homme :
  . est doux, patient et ennemi des disputes;
  . ne trompe personne, ne porte préjudice à personne, n'offense personne, et ne se préfère à personne;
  . communique avec les autres dans la joie de donner et de recevoir[228].

Comme le parfum, versé sur la tête[229], descend au contact de la chaleur et se répand par tout le corps, de même l'agréable douceur de l'affection volontaire et, pour ainsi dire, connaturelle, coule avec spontanéité et devient service[230].

C'est ainsi que l'on passe au cellier du vin ou de la grâce. Celui qui y arrive préside comme supérieur et maître parmi ses frères. C'est ici que repose le vin du « zèle fervent de la charité » : le possède celui qui se consume pour le salut du prochain[231].

Il n'est pas difficile de se rendre compte des différences qui existent entre les trois celliers. Refréner l'instabilité des sens et l'intempérance des appétits par la crainte du maître et par la répression d'une discipline rigide, ce n'est pas la même chose que de bien se conduire avec ceux qui sont nos égaux par une affection spontanée. Et ce n'est pas non plus la même chose que de vivre socialement avec les autres et d'être à leur tête avec utilité. Ceux qui président ne le font pas tous avec égale humilité, zèle et discrétion. Cependant la grâce de l'amour ne manque dans aucun de ces celliers. Celui qui a reçu le don de les parcourir tous les trois sans faux pas est parfait dans sa conduite, et l'Époux, le Roi, l'introduira dans sa chambre[232].

---

[228] *SCt* 23,6, citant Psaume 132,1; Sagesse 18,21; Philippiens 4,15.

[229] Psaume 132,2.

[230] *SCt* 23,7.

[231] *SCt* 23,5-7.

[232] *SCt* 23,8.9ss. Pour cet amour zélé, nécessaire et propre à ceux qui doivent présider aux autres, voir *SCt* 18,6.

Ce triple cellier, est-il le symbole du monastère ou de la vie monastique ? Pourquoi pas ? Au monastère les âmes assoiffées de Dieu scrutent les Écritures pour vivre leur message moral, qui se ramène à ceci : aime ton prochain comme toi-même, car l'amour est la plénitude de la loi[233]. Mais le monastère n'est pas seulement cellier, il est aussi chambre à coucher !

Procession et offrande

Le deuxième *sermon pour la fête de la Purification* nous offre de nouveaux symboles et de nouvelles leçons. Le Seigneur s'offre lui-même dans le temple par l'intermédiaire de mains virginales. Joseph et Marie offrent le sacrifice, Siméon et Anne le reçoivent. Les quatre forment la procession dont on se souvient aujourd'hui, mais dont nous aussi nous sommes les protagonistes, dans la mesure où nous avançons et où nous nous offrons[234].

La « façon de faire et l'ordre » de la procession exigent notre attention : nous avançons deux par deux, avec des cierges allumés à la main, les derniers ou les novices avancent en premier et les premiers ou les anciens avancent les derniers, et nous avançons tous en chantant les louanges de Dieu. Que signifient cette façon de faire et cet ordre[235] ?

« Deux par deux », c'est-à-dire : engagés et témoins de la « charité fraternelle comme de la vie sociale ». Dans la procession de notre vie monastique, rien de pire que d'essayer de marcher seul. Qui fait ainsi se nuit à lui-même et dérange les autres. Ceux qui se séparent de la communauté sont comme des animaux, manquant d'esprit, qui ne font pas d'effort pour maintenir l'« unité de l'esprit par le lien de la paix »[236].

---

[233] Romains 13,10; *SCt* 23,7 y fait allusion et le cite.

[234] *Pur* 2,1.3.

[235] *Pur* 2,1.

[236] *Pur* 2,2, citant Éphésiens 4,3 et faisant allusion à Luc 10,1. Au sujet de ces solitaires qui sont désagréables, hautains et nuisibles, voir *PP* 1,4; *Asc* 6,13; et également *Div* 1,2; 2 *Sent* 76.

Ainsi, comme il n'est pas bon que l'homme soit seul, il n'est pas bon qu'il se présente devant Dieu les mains vides. Les cierges allumés représentent les « oeuvres faites avec ferveur et les désirs du coeur ». Oeuvres et feu qui sont tout à l'opposé des oeuvres et du feu de l'adversaire, à savoir la concupiscence charnelle, l'envie et l'ambition. Il s'agit en définitive des oeuvres de la foi vivante, la foi qui oeuvre par la charité[237].

Non seulement la façon de faire est significative, mais l'ordre de la procession l'est également. À l'amour et à la ferveur, il faut ajouter l'humilité. Elle permet que nous nous prévenions les uns les autres par des marques d'honneur; elle permet même que nous préférions à notre propre intérêt non seulement l'intérêt des anciens mais aussi celui des jeunes. C'est certainement en cela que consistent la perfection de l'humilité et la plénitude de la justice[238] et, c'est nous qui ajoutons, le bon zèle de l'amour fervent.

Tous, finalement, nous avançons en chantant. Pourquoi ? Parce que Dieu aime celui qui donne dans la joie et le fruit de l'amour est la joie dans l'Esprit[239].

La vie monastique est comme une procession d'offrandes où chacun s'offre à Dieu. Mais cette procession et cette offrande sont seulement possibles par le moyen de la charité fraternelle dans la vie commune.

Unité et amour

Dans presque tous les textes qui précèdent sur la charité fraternelle dans la vie monastique, est apparu le thème de l'« unité ». Il importe de dire un mot de cette dernière, mais sans dé-

---

[237] *Pur* 2,2, citant Jacques 2,26 et faisant allusion à Galates 5,6.
[238] *Pur* 2,3; citant Romains 12,10 et faisant allusion à la Règle de saint Benoît 72,4.7 et 63,10.
[239] *Pur* 2,3, citant 2 Corinthiens 9,7; Galates 5,22.

passer les limites que le sujet spécifique de notre étude nous impose.

Dans le cinquième sermon pour l'Assomption, Bernard poursuit un commentaire sur l'évangile de Marthe et de Marie[240]. Au milieu de ses nombreuses occupations, Marthe n'a besoin que d'une seule chose pour plaire au Dieu unique : être unifiée en elle-même et se garder unie avec le prochain. De cette façon, Marthe (l'activité) recevra de même que Marie (la connaissance), la récompense d'être unie au Seigneur, dans l'unité d'esprit avec Lui[241].

Mais comment peut-on obtenir cette union avec le prochain, cette bienheureuse unanimité, conformité et convivence[242] ? D'un point de vue pragmatique, la réponse est celle-ci : « en nous approchant de l'autre avec amour et en accueillant l'affection que l'autre nous offre »[243].

Cela semble facile, mais ce ne l'est pas. Il y a deux obstacles : l'obstination qui nous empêche d'aller vers l'autre, et la méfiance qui nous empêche de croire que l'autre nous aime. Qui en paie les conséquences ? L'unité que nous devons avoir avec le prochain. Y a-t-il des remèdes ? Oui, bien sûr, et c'est la charité qui nous les offre : « Que l'obstiné favorise cette charité qui ne recherche pas ce qui est sien mais aime les autres, et que le méfiant pratique cette charité qui croit tout, et qu'il soit fermement convaincu d'être aimé de tous »[244].

---

[240] Luc 10,38-42. Selon *Assp* 2,7, Marthe et Marie sont sœurs et elles doivent vivre ensemble; selon *Assp* 3,4, les deux doivent se retrouver dans toute âme parfaite: elles représentent les facultés de l'activité et de la connaissance, *Assp* 5,6.

[241] *Assp* 5,9-12.

[242] *Assp* 5,13; voir *Assp* 5,11, citant Actes des Apôtres 4,32; Psaume 132,1.

[243] *Ibid.* 5,13.

[244] *Ibid.*, citant 1 Corinthiens 13,5.7.

Si l'amour des uns pour les autres est une condition indispensable pour l'unité dans la communauté, il n'est pas surprenant que Bernard fasse fréquemment des exhortations en faveur de la persévérance et du progrès dans cet amour, et qu'il exorcise de toutes les manières ce qui cause les divisions, ce qui sème la discorde ou trouble l'unanimité[245].

Afin de maintenir cette unité dans la vie communautaire, il faut placer la volonté des autres avant la sienne propre, habiter ensemble sans se plaindre et dans la joie, se supporter les uns les autres et prier pour tous[246]. Il faut avoir l'audace de préférer l'unité aux jeûnes, aux veilles et aux prières; il faut demeurer en elle, « un en relation avec tous »; il faut ouvrir complètement son coeur et remplir ses entrailles de toutes les affections possibles, afin de se faire tout à tous, prêts à souffrir et à se réjouir avec tous[247]. En fin de compte, « la cohésion de la charité et le lien de la paix » créent l'unité intérieure et l'unanimité qui opèrent la fusion de la multiplicité : « Que nos coeurs soient unis dans l'amour de l'Unique, dans la recherche de l'Unique, nous attachant à l'Unique dans les mêmes sentiments »[248].

Celui qui demeure dans la charité est sensible à ce qui nuit aux autres et les scandalise. La charité unit en elle ce qui est divisé et elle ne divise pas ce qui est déjà uni. Elle aime la paix et se réjouit de l'unité. Elle est mère de l'unité et de la paix[249] !

Au-delà de toute soumission et de toute observance, s'il y a une réalité qui caractérise l'état monastique, c'est bien celle-ci : suivre le chemin le plus excellent de la charité fraternelle[250]. Il est impossible de vivre pour le Christ sans aimer le prochain et partager ses fardeaux; par le baptême et la profession monasti-

---

[245] Voir *Mich* 2,1-2; *SCt* 29,3-5; 46,6-7; 64,5; *Div* 17,4; 3 *Sent* 116.

[246] *NatV* 3,6.

[247] *Div* 65,2-3.

[248] *Sept* 2,3; voir *Ded* 1,7: quand on est plus proche de Dieu qui est Amour, plus grand est l'amour qui nous unit entre nous.

[249] *Ep* 7,1.

[250] *Ep* 142,1, citant 1 Corinthiens 13,1.

que, nous avons contracté une nouvelle dette d'amour mutuel avec les frères[251].

---

[251] Voir *Div* 33,6.

CONCLUSION

C'est l'heure de terminer, l'heure de rendre des comptes, de tirer des conclusions et de les rassembler.

Mon propos était d'exposer quelques aspects de la doctrine bernardine sur l'amour du prochain. Exposer veut dire : présenter sans supplanter, introduire sans obstruer, montrer sans qu'il soit nécessaire de démontrer. J'espère ne pas avoir supplanté, ni obstrué, et j'espère aussi ne pas avoir besoin de le démontrer.

Je suis bien conscient d'avoir seulement exposé quelques aspects en me basant sur quelques textes. D'autres aspects ont été laissés de côté, comme par exemple : l'amour d'amitié, la relation entre action caritative-apostolique et contemplation, l'amour de soi et le sens de l'humour, l'amour des ennemis, les relations hétérosexuelles... Et à tout cela on pourrait ajouter encore : les sources patristiques, le vocabulaire, la relation avec les autres auteurs médiévaux, l'influence sur la postérité... Il est donc évident que ce qui a été fait ici, c'est le minimum de ce que l'on pouvait faire.

Je me suis approché de Bernard avec ma sensibilité de moine paysan et non de scolastique urbain. Je me suis plus intéressé aux symboles qu'aux concepts, aux modèles exemplaires qu'aux idées abstraites, à la révélation divine qu'à la spéculation humaine. Mon intérêt, c'est de vivre l'amour du prochain beaucoup plus que de le penser ou d'en parler.

Mais quelles sont les conclusions qui se dégagent des textes présentés ? Quels sont les piliers ou les traits structurants de la doctrine bernardine ? Je considère qu'ils se ramènent aux sept que voici :

- Les fondements de l'amour du prochain sont : la communauté dans la même nature, dans la même grâce de salut et,
pour quelques-uns, dans le même engagement monastique.

- Cet amour se rapporte toujours à l'amour de soi et à
l'amour de Dieu. Il rend l'homme vraiment homme, et il
est une voie éminente vers Dieu ou un moyen d'union
immédiate avec lui.

- Il implique : discipline, modération, dévouement, connaissance de soi et humilité, action et aide gratuite de l'Esprit
Saint, ainsi que des modèles qui entraînent à leur suite.

- Ses principales expressions ou manifestations sont :
. vouloir le bien : bienveillance;
. faire le bien et partager des biens : bienfaisance, ser-
viabilité, solidarité;
. ressentir le bien et bien le ressentir : miséricorde,
pitié, bénignité, compassion, mansuétude, douceur,
suavité et tendresse...
. bien se comporter : amabilité, affabilité.

- La miséricorde synthétise bien toutes les expressions de
l'amour du prochain, car elle rassemble le sentiment et
l'action, l'affection et l'efficacité (*affectus* et *effectus*).

- Ses principaux symboles sont : la Largeur et le parfum, car
l'onction dilate et embaume.

- Son fruit principal, surtout dans la vie monastique, c'est la
joie et la paix dans l'unité.

Ces affirmations synthétiques doivent être comprises dans un
contexte doctrinal plus ample, qui est formé à son tour de cinq
affirmations fondamentales :

- Dieu est Amour et Source inépuisable de miséricorde, c'est pourquoi il nous aime le premier et nous rend aimables, capables de donner et de recevoir l'amour.

- L'amour de Dieu, parce qu'il est premier et originel, est vrai et pur, désintéressé et gratuit; notre amour est appelé à lui être semblable.

- L'amour de Dieu et pour Dieu a une priorité absolue; il renferme en lui toutes les expressions d'amour, et il fait qu'elles soient vraiment amour.

- Le Fils de Dieu, le Christ Sauveur, est « Largeur » infinie d'amour; son Esprit est « Colle » qui unifie inséparablement; et Marie est la Mère de la charité et des miséricordes, les siennes et les nôtres.

- L'amour du prochain nourrit et purifie l'amour de Dieu qui le précède, mais à l'état de commencement; à son tour, cet amour de Dieu couronne l'amour du prochain.

Est-ce que cet enseignement de saint Bernard est de quelque actualité ? Je réponds : oui. Il nous montre des vérités évidentes qui, par ce fait même, risquent de passer inaperçues. De quelles vérités s'agit-il ? Au moins des six vérités suivantes : la justice sans miséricorde n'est pas évangélique; les oeuvres sans affection (amour) ne sont pas humaines : l'amour purement vertical ou exclusivement horizontal a encore besoin du salut apporté par la croix du Christ; le moine est moine non pas surtout parce qu'il est seul, mais parce qu'il est solidaire; c'est l'unanimité et non l'uniformité qui est constitutive de la vie cénobitique; la théologie symbolique est donc permanente car, même si les moines venaient à manquer, il y aura toujours dans ce monde des enfants, des simples et des pauvres (dans le premier monde et plus encore dans le tiers-monde !).

L'heure de terminer est passée. J'ai dit le plus savoureux, le plus utile à écouter et le plus facile à expliquer. Pour le reste, recourez à de plus compétents. Reposons-nous maintenant sous la vigne et le figuier, à l'ombre de l'amour de Dieu et du prochain. « Seigneur Jésus, c'est avec ces deux amours que je t'aime, quand je t'aime toi qui es mon prochain parce que tu es homme et que tu as eu miséricorde de moi, toi qui restes toutefois Dieu, béni au-dessus de tout et pour toujours. Amen »[252].

---

[252] *SCt* 60,10.

INDEX BIBLIQUE

Genèse
1,27   n. 19
28,17   n. 201
32,2   n. 201
42,7   n. 150
43,30   n. 150

Nombres
12,3   n. 152

1 Samuel
16,1-2   n. 151

2 Rois
1,11-12   n. 153
19,4   n. 153

Tobie
4,17   n. 135

2 Maccabées
15,14   n. 156

Job
5,24   n. 178
29,15-17 n. 149
31   n. 149

Psaumes
12,6   n. 33
15,2   n. 49
  n. 65
19,4   n. 147
21,4   n. 124
23,10   n. 203
30,13   n. 146
40,2   n. 176
67,7   n. 202
110,4   n. 12
111,5   n. 144

118,32   n. 125
119,7   n. 129
  n. 152
131,1   n. 202
131,14   n. 124
132   n. 103
132,1   n. 228
  n. 242
132,2   n. 229

Proverbes
12,23   n. 124

Cantique
1,3-4   n. 215
1,4   n. 214
1,5   n. 122
1,10   n. 53
1,14   n. 130
2,4   n. 106
3,1   n. 55
3,4   n. 218
5,1   n. 218
5,5   n. 143
6,3   n. 54
  n. 208

Sagesse
18,21   n. 228

Siracide
18,30   n. 111
  n. 133
30,24   n. 120
45,1   n. 154

Isaïe
1,18   n. 171
12,3   n. 33
41,7   n. 6

58,7-8   n. 177

Matthieu
5,7   n. 39
  n. 142
  n. 175
5,8   n. 171
5,44   n. 129
5,47   n. 128
7,12   n. 135
9,13   n. 39
  n. 158
11,12   n. 129
22,39   n. 109
25,40.45 n. 135

Luc
6,36   n. 138
6,37   n. 171
10,1   n. 236
10,38-42 n. 240
11,42   n. 171
12,31   n. 113
18,22   n. 171
19,13   n. 196
19,18   n. 171

Jean
3,16   n. 47
4,14   n. 33
7,37-39   n. 33
13,15   n. 211
13,35   n. 191
14,23   n. 124
15,12   n. 191
15,13   n. 47

Actes
4,32 n. 209
n. 242
20,35 n. 145

Romains
1,14 n. 80
1,16 n. 154
1,29-31 n. 133
5,6-7.10 n. 47
5,20 n. 135
8,32 n. 47
8,35 n. 212
11,35 n. 50
12,2 n. 90
n. 97
12,10 n. 238
12,11 n. 216
12,15 m. 183
13,8 n. 128
n. 221
13,10 n. 221
n. 233

1 Corinthiens
9,22 n. 80
n. 146
10,33 n. 66
13,1 n. 250
13,5 n. 49
n. 66
13,5.7 n. 244
15,48 n. 123

2 Corinthiens
1,3 n. 11
n. 63
9,7 n. 239

Galates
4,19 n. 148
5,6 n. 237

5,22 n. 239
5,26 n. 223
6,1 n. 132
6,10 n. 157

Éphésiens
1,3-4.6 n. 51
3,17 n. 124
3,18 n. 164
4,3 n. 39
n. 210
n. 236
4,6 n. 3

Philippiens
2,5 n. 97
2,21 n. 66
4,15 n. 127
n. 228

Colossiens
3,12 n. 157
3,14 n. 209

1 Timothée
1,5 n. 71
n. 72
2,4 n. 13

2 Timothée
3,2-4 n. 133

Jacques
2,13 n. 162
2,26 n. 237
3,17 n. 90

1 Pierre
2,11 n. 111

1 Jean
1,5-7 n. 68

2,9-11 n. 68
3,17 n. 129
4,7 n. 192
4,8 n. 1
4,10.19 n. 46
4,16 n. 1
n. 193
4,20 n. 99

INDEX DES RÉFÉRENCES

Oeuvres de saint Bernard

Abb
6   n. 71

AdvA
3,5   n. 155
4,5-6 n. 173

AdvV
3   n. 206
4   n. 207
5   n. 208
       n. 209
       n. 212

Ann
3,8   n. 62

Apo
16-17 n. 173

Asc
6,13   n. 236

AssO
2   n. 80
       n. 166
       n. 168
15   n. 169

Assp
1,2   n. 25
2,7   n. 240
3,4   n. 240
3,4-6 n. 75
4,2   n. 55
4,8   n. 163
       n. 164
       n. 165

4,9   n. 43
       n. 167
5,6   n. 240
5,11   n. 242
5,9-12 n. 241
5,13   n. 92
       n. 242
       n. 243
       n. 244

Conv
29   n. 171
32   n. 69

Csi
III,5   n. 85
XIII,27-28 n. 16

Ded
1,7   n. 21
       n. 248
5,2.4 n. 63

Dil
1   n. 47
       n. 49
       n. 66
6   n. 80
16   n. 48
22   n. 57
       n. 98
23   n. 107
       n. 109
       n. 111
       n. 112
24   n. 113
25   n. 114
26   n. 115

26   n. 74
34   n. 73
35   n. 2
       n. 3
       n. 67
36   n. 93

Div
1,2   n. 236
3,1   n. 73
3,9   n. 82
4,3   n. 21
10   n. 94
         n. 107
         n. 112
10,1.4   n. 95
         n. 96
10,2   n. 101
         n. 103
16,3   n. 104
17,4   n. 245
33,6   n. 251
42,2-3   n. 199
42,2-4   n. 198
42,2-7   n. 197
42,4   n. 200
         n. 204
45,5   n. 71
42,5-7   n. 205
50,3   n. 104
65,2-3   n. 247
65,3   n. 195
92   n. 213
92,2   n. 224
96,1.5.6 n. 33
96,6   n. 115
         n. 194
103,1   n. 118

	n. 119
	n. 121
103,1.4	n. 117
117	n. 33

Ep

2,1	n. 8
3	n. 89
4,2	n. 88
7,1	n. 7
	n. 249
	n. 27
8,1	n. 121
12	n. 161
14	n. 9
18,2	n. 35
18,3	n. 15
22	n. 89
42,9-13	n. 121
42,10	n. 70
65,2	n. 39
68,4	n. 89
72,5	n. 89
77,8	n. 12
82,1	n. 89
87	n. 121
88,2	n. 9
107,8	n. 58
	n. 59
108,3	n. 88
126,3	n. 88
142,1	n. 250
142,2	n. 21
143,3	n. 103
169	n. 89
185,4	n. 86
224,3	n. 27
238,2	n. 89
244,3	n. 89
253,10	n. 21
339	n. 88
341,2	n. 33

368,2	n. 89
374,2	n. 37
397,3	n. 89
431	n. 88
432	n. 88
437	n. 39
440	n. 121
451	n. 174

EpiP

| 1,2 | n. 43 |
| 2,4 | n. 43 |

EpiV

| 5 | n. 12 |

Gra

| 17 | n. 105 |

Hum

6	n. 179
	n. 181
	n. 183
7-12	n. 160
13;18-19	n. 180
18	n. 184
19-21	n. 185
20-21	n. 182
21	n. 186
22-23	n. 187

Humb

| 7 | n. 23 |

MalH

| - | n. 38 |

MalV

| Prae. | n. 83 |

Mich

| 2,1-2 | n. 245 |

Miss

| 3,3-4 | n. 79 |

Nat

| 1,5 | n. 34 |
| | n. 90 |

NatV

3,6	n. 246
4,1	n. 31
4,9	n. 30
5,4-5	n. 188
6,8	n. 82

NBVM

| 3 | n. 30 |
| 4,13.18 | n. 44 |

OS

| 1 | n. 172 |
| 1,12 | n. 170 |

Par

1,6	n. 10
4,5	n. 82
7	*n. 172*

Pasc

2,4-6	n. 136
2,8	n. 4
3,3	n. 26
	n. 91

PP

1,1	n. 166
1,1.3-4	n. 195
1,4	n. 236

PPV

| 2 | n. 36 |

Pre
5 — n. 190
60 — n. 29

Pur
2,1 — n. 235
2,1.3 — n. 234
2,2 — n. 236
— n. 237
2,3 — n. 238
— n. 239

QH
6,7 — n. 82
9,3 — n. 52
14,5 — n. 83

Quad
5,1 — n. 121

SCt
8,2 — n. 6
10,1-3 — n. 139
10,4 — n. 140
11,7 — n. 42
12,1 — n. 142
— n. 146
— n. 147
12,1-5 — n. 141
12,2 — n. 148
12,3 — n. 149
12,4 — n. 150
— n. 151
— n. 152
12,5 — n. 153
— n. 154
— n. 156
12,7 — n. 157
12,10 — n. 140
— n. 158
12,11 — n. 159
13,1 — n. 45
18,3 — n. 76
18,4 — n. 40

18,6 — n. 232
19,5 — n. 22
19,6 — n. 13
20,2 — n. 52
23,1 — n. 216
23,2 — n. 217
23,3 — n. 219
23,5-6 — n. 222
— n. 227
23,5-7 — n. 221
— n. 231
23,5-8 — n. 220
23,6 — n. 223
— n. 225
— n. 228
23,7 — n. 226
— n. 230
— n. 233
23,8ss — n. 232
24,2 — n. 87
24,3-4 — n. 28
26,5 — n. 23
26,10 — n. 103
27,1-2 — n. 122
27,7-8 — n. 123
27,8-9 — n. 124
27,9 — n. 125
27,9-10 — n. 126
27,10 — n. 127
27,11 — n. 128
— n. 129
29,3-5 — n. 245
29,8 — n. 24
33,15 — n. 83
39,10 — n. 53
42,10 — n. 32
44,1.7 — n. 34
44,2 — n. 132
44,4 — n. 131
— n. 132
44,5 — n. 133
44,6 — n. 134
— n. 136

46,6-7 — n. 135
— n. 245
50,2-5 — n. 116
50,5-6 — n. 108
50,6 — n. 64
50,8 — n. 105
— n. 106
51,3 — n. 78
51,6 — n. 42
52,7 — n. 77
57,6 — n. 56
60,10 — n. 252
62,5 — n. 138
62,8 — n. 68
64,4 — n. 216
64,5 — n. 245
67,10 — n. 54
69,6 — n. 11
69,7 — n. 56
69,8 — n. 59
70,6 — n. 188
71,7 — n. 21
71,8 — n. 5
79,6 — n. 58
80,2 — n. 110
83,4 — n. 18
— n. 45
— n. 60
83,6 — n. 19
— n. 20
— n. 41
— n. 58
84,4 — n. 84
84,5 — n. 55
84,6 — n. 59

1 Sent
21 — n. 100
— n. 115
22 — n. 194

2 Sent

41	n. 201
76	n. 236

3 Sent

2	n. 172
3	n. 61
	n. 137
	n. 172
11	n. 61
31	n. 84
73	n. 94
	n. 97
	n. 102
	n. 103
	n. 104
	n. 108
	n. 112
76	n. 105
91	n. 205
92	n. 73
93	n. 14
113	n. 14
	n. 52
116	n. 245
122	n. 82
123	n. 213
126	n. 172
127	n. 61

Sept

2,1	n. 17
2,3	n. 248

TABLE DES MATIÈRES

Présentation 5

Sigles et abréviations 7

Introduction 9

1. Contexte doctrinal 11

  1.1 Dieu est Charité 11
  1.2 La source de la vie est la Charité 14
  1.3 Il nous a aimés le premier 17
  1.4 La charité ne cherche pas son intérêt 20
  1.5 La charité est multiple et ordonnée 23

2. Textes clés 31

  2.1 Le précepte du Seigneur 31
    Amour social 31
    Héritage partagé 34
    Largeur de l'âme 35
    Humanisation et déshumanisation 37

  2.2 Béatitude de la miséricorde 40
    Parfum de la miséricorde 41
    Des Modèles et une Médiatrice 45
    Bienheureux les miséricordieux 48
    Aumône miséricordieuse 49
    Humble miséricorde 50

  2.3 L'école de la charité 53
    Maître et disciples 53
    Paradis du cloître 55
    Cité et armée 57

Cellier et parfum 58
Procession et offrande 61
Unité et amour 62

Conclusion **67**

Index biblique **71**

Index des références **73**

COLLECTION VOIX MONASTIQUES

Titres déjà parus :

1. Juan Maria de la Torre o.c.s.o. *Un chemin de vie. La vocation cistercienne*, trad. de Yvon Moreau o.c.s.o., Oka : Abbaye N.-D. du Lac (Voix Monastiques 1), 1989, 75p.

2. Bernard de Clairvaux. *Toi qui es en communauté*, choix de textes et trad. de Agnès Lemaire, cist. bernardine, Oka : Abbaye N.-D. du Lac (Voix Monastiques 2), 1990. 78p.

3. Mariano Ballano o.c.s.o. *Le Pain de la Parole. Saint Bernard et les Sermons divers*, trad. de Yvon Moreau o.c.s.o., Oka : Abbaye N.-D. du Lac (Voix Monastiques 3), 1991. 75p.

4. Augustin Roberts o.c.s.o. *Tendre vers le Christ. Une introduction à la profession monastique*, trad. de Robert Morfesi o.c.s.o. et André Barbeau o.c.s.o., Oka : Abbaye N.-D. du Lac (Voix Monastiques 4), 1992. 262p.

5. Thomas Merton o.c.s.o. *Qui cherches-tu ? Vocation et spiritualité monastique*, trad. de Monique Simon o.c.s.o., Oka : Abbaye N.-D. du Lac (Voix Monastiques 5), 1992. 74p.

6. Césaire de Heisterbach. *Le Dialogue des Miracles*, trad. de André Barbeau o.c.s.o., Oka : Abbaye N.-D. du Lac (Voix Monastiques 6), 1992. 98p.

7. Jean-Marie Howe o.c.s.o. *Itinéraire spirituel. La voie monastique*, trad. de Blandine Boulmer o.c.s.o. et Charles Dumont o.c.s.o., Oka : Abbaye N.-D. du Lac (Voix Monastiques 7), 1992. 98p.

8. Bernardo Olivera o.c.s.o. *L'Amour fraternel. Aspects de l'amour du prochain dans l'enseignement spirituel de saint Bernard*, trad. de Yvon Moreau o.c.s.o., Oka : Abbaye N.-D. du Lac (Voix Monastiques 8), 1993. 78p.

Achevé d'imprimer
en juillet 1993 sur les presses
des Ateliers graphiques Marc Veilleux Inc.
Cap-Saint-Ignace, Qué.